NEXT GENERATION GOVE

RATION GOVERNMENT

次世代ガバメント

小さくて大きい政府のつくり方

blkswn publishers

企画・編集・執筆・インタビュー構成　若林　恵
アートディレクション・デザイン　藤田裕美
写真　平松市聖
イラストレーション　新地健郎

「公共」の現在
いま何が問題なのか

TEXT BY KEI WAKABAYASHI

「公共」の現在

「公共」はみんなのもの

「公共」というと「政府」、つまりは「お上」が担うものと考えてしまいがちですが、社会全体が大切だと考える公共的な価値を保存しそれをサービスとして提供するのは、なにも政府だけとは限りません。

昔であれば、そうしたものは家族や共同体におけるさまざまな儀礼や風習のなかで継承され保持されていました。社会やコミュニティ全体で「公共的価値」を守ってきたのです。

ところが近代化がもたらした産業化、市場化、都市化によって血縁・地縁に基づく共同体が壊れていくことで、社会にとって大切な「価値」を守る方法も変わっていくこととなりました。

「公共」の現在

産業社会のための仕組み

国民国家が生まれ近代市民社会がかたちづくられていくなかで、社会にとっての「公共的な価値」を守る役割は「政府」というものが担うようになっていきました。

社会全体にとって大事とされるサービスや財は、政府によって設計され管理・運用されるようになり、そうすることで安全かつ安定的に、誰もがそれらにアクセスできるようになると考えられたのです。

みんなで税金を出し合い、その税金を用いて政府が、みんなが大切だと考える価値を守る。その仕組みは、工業を国の経済の根幹とした産業社会の勃興とともに整備され、その社会に最適化されたものでした。

二〇世紀の途中までは、それが最も効率がよく機能的と考えられる仕組みでした。

「公共」の多様化

ところが経済の主体が工業からサービスや情報産業へと移っていき、市民も豊かになるにつれて、公共をめぐる価値観も多様になっていきました。「社会全体にとって大切な価値とは何か」ということについても、個別化・多様化していくこととなりました。

それにつれて行政による公共サービスも細分化されキメ細かさを増してきましたが、その一方で煩雑さが飛躍的に増し、やってもやってもニーズに応えきれないという問題も出てきました。

本来最も望ましいのは、個別化・多様化したニーズに、とことんまでキメ細かく対応し解決することです。

「公共」の現在

多様化のもたらす矛盾

けれども残念ながら、公共サービスを提供してきたこれまでの仕組みは、そこまでの多様さに対応できる仕組みではありません。

ですから、それを提供しようとすれば、さまざまな無理が生じてしまいます。なによりもまず予算がいくらあっても足りません。

「限られた予算のなかでどうにかする」ということになれば、どこに予算を割きどこを諦めるといった選別が必要になってきます。

その選別が厳密になればなるほど公共サービスは、「ある特定の誰か」のためのものになっていってしまいます。

ニーズは多様化しているのにサービスはどんどん限定的になっていく、という矛盾が起きてしまうのです。

「公共」の現在

公共を「市場」にまかせる

こうした矛盾を受けて、公共サービスをできるだけ民営化することで、政府が配給するよりも優れたサービスが提供できるようになるのではないかという考えが支持されるようになりました。

ビジネスの世界の競争原理のなかで切磋琢磨されることで、よりよい公共的なサービスが、よりリーズナブルな価格で提供されるようになると考えられたのです。

ところが資本主義経済における市場原理にまかせてしまうと、どうしたって「お金が儲かる」サービスだけが生き残ることになってしまいます。

また、稀少なサービスであればあるほど高額になってしまい、お金持ちしかサービスを利用できないという不公平も生まれてしまいます。

「公共」の現在

一長一短

「公共」の一切を管理し運営しうる「大きい政府」をもつ社会では、ニーズに応えるうちに政府がどんどん大きくなってしまい、それにつれて、むしろサービスの質が低下してしまうという矛盾が起きます。

政府が最低限の「公共」しか管轄しない「小さい政府」をもつ社会では、サービスが民間の運営にまかされてしまうことで、「社会にとって重要な価値をもつもの」よりも「お金が儲かるもの」が重要視されてしまいます。

どちらも一長一短なのです。

「公共」の現在

小さくて大きい

一番望ましいのは、最低限のコストで最大限のニーズに応えることのできる「小さくて大きい政府」ということになりそうです。

でも、どうやったらそんなものがつくれるのでしょう？

「公共」を誰がどう担い、どのようにすれば、サステイナブルなかたちで「みんなが大切だと思っている価値」を守り育てていくことができるのか。

それがいま改めて世界中で大きな議論の的となっています。

「公共」の現在

新しい可能性

ただし、今回の議論はこれまでの議論とは一点大きく違っています。今回の議論のなかには「デジタルテクノロジー」という新しい可能性が含まれていることです。

「大きい政府」がやろうとしてできなかったこと、「小さい政府」がやろうとしてできなかったことを、デジタルテクノロジーを使ってつなぎ合わせることで、新しい公共の仕組みをつくり出すことができるかもしれません。

「最小限のコストで、最大限のニーズに応える」「個別化したニーズに、個別的に全部応える」。これまでの仕組みではやりたくてもやれなかったことが可能になるのではないか。

なぜならデジタルテクノロジーは、「最小コストで最大化する」とか「個別のニーズに個別に応える」ことがめっぽう得意だからです。

「公共」の現在

二一世紀の「公共」

デジタルテクノロジーをうまく使いこなした社会において「公共」がいったいどのように守られ、どのように管理・運営されていくことになるのか。

そのとき「行政府」はどのような機能を担うことになるのか。それと同時に、民間企業や市民の「公共」への関わり方がどのように変わっていくのか。

二一世紀の「公共」のあり方が、いま新たに描き直されなくてはならないのです。

さらば、スチームパンクガバメント

「行政府」というＯＳのＤＸをめぐる試論

TEXT BY KEI WAKABAYASHI

それは郵便事業からはじまった

行政府ってことばほど何気なく使われる割に意味が判然としないことばもない。いつからかそれは諸悪の根源みたいなニュアンスさえ帯びて、悪魔退治のように政治家は行政改革を叫ぶけれども、その割には「それをなくしてしまえ」という声は聞かないので、大方の人はそれを「イヤだけどなくすわけにもいかない必要悪」とでも思っているということなのだろうか。誰もその存在自体は否定しないところをみると、よっぽどそれは重要な役割を担っているはずで、実のところ右派が政権を取ろうと左派が取ろうと、はたまたアタマのネジが外れた独裁者が政権を取ろうと、組織化された行政制度そのものが否定されることはなく、どんな政体であっても、それが近代国家を標榜する限りは近代化された行政府とそれを取り回す官僚制度はもれなくついてくることになっている。

行政府を動かすための理念は変われども、それをオペレートするシステムは政権の左右を問わないというのは、うっかり見落としてしまいがちな盲点なのだけれど、ことほどさように、この行政府というものは国家にとって本質的な何かではありそうで、昨今における世界的な政治のごちゃごちゃを見るにつけ、行政府がうまいこと市民の合意形成を図ってその意思を実行できてしまうのであればもうそれでよくないかという気分にもなってくる。公民の授業で誰しもが習った三権分立に異議を唱えるつもりはなくとも、立法府と司法府がわやくちゃなときでも優秀な行政府がチャキチャキとうまく作動してさえくれれば案外国はうまく回りそうな気もするではないか。と言うのはさすがに極論だとしても、仮に司法府、立法府が目覚ましくよい仕事をしていたとして、それを実行するシステムが愚図であったら元も子もなくなってしまうことを思えば、どっちにせよ行政府がシステムとしてスムーズかつ使い勝手のよいものであるに越したことはないのは間違いない。そもそも近代国家がどこもかしこも近代的な行政機構を導入したのはシステマティックにチャキチ

ヤキと公的業務を遂行してくれるだろうという期待があったからで、自律的かつ自動性の高い機械的なシステムとしての行政府という夢は、夢としてはそこまで唾棄されるべきものでもない。

アナキスト人類学を標榜するアメリカの人類学者デヴィッド・グレーバーの著書『官僚制のユートピア』は、官僚制度がいかに深く近現代社会の病巣となっているかを明かす痛快な本だが、そのなかでグレーバーは、近代西洋の行政システムの原点には近代軍隊のガバナンスの仕組みがあり、それを最初に一般の社会のなかで卓越したやり方で応用したのはドイツの郵便事業だったと説明している。郵便や小包が空気圧によりパイプを通してベルリン市内を縦横無尽に行き来する、その「大発明」は世界中の多くの〝イノベーター〟に大きなインスピレーションを与えたそうで、とりわけその偉業に魅せられたのはレーニンだったとされる。

「全国民経済を郵便にならって組織すること、しかもそのさい、技術者、監督、簿記係が、すべての公務員とおなじく、武装したプロレタリアートの統制と指導のもとに、『労働者の賃金』以上の俸給を受けないように組織すること——これこそ、われわれの当面の目標である」

そうレーニンは語ったというが、このシステムに魅了されたのはなにも「東側」の人間ばかりではない。その仕組みを国家機関ではなく民間組織に適用することに躍起になったのはむしろアメリカ人で、一九世紀末に三年ほどベルリンに滞在したマーク・トゥエインは、その仕組みの効率の良さを絶賛したという。その仕組みを貪欲に取り込んだことで、ある時期までアメリカでは行政といえば郵便システムを指していたほどだったそうで、実に公務員の七割を郵便局員が占めていた時代もあったという。グレーバーはそうした事実を受けて意外とも思えるこんな指摘をする。

「わたしの観察するところ、イギリスの人びとは、じぶんたちが官僚制にとくにむいていないということを大いに誇りに感じている。ところがアメリカ人は、概して、じぶんたちが官僚制にとてもむいているという事実に困惑をおぼえるようにみえる。自国の自己イメージにふさわしくないからである。われわれは、本来、自立した個人主義者であるはずなのだ（まさにこれが右翼ポピュリストによる官僚制の悪魔化が、どうしてかくもうまくいくのかの理由である）。とはいえ、アメリカ合衆国が根っから官僚制社会である——そして一世紀を超えてずっとそうだった——という事実は揺るぎない」

言われてみればアメリカは、大組織を円滑に運用するためのマネジメントの手法をモデル化したりマニュアル化したりするのが大好きだし、とりわけ秀でている。俗に中国とアメリカはよく似ているなんてことが言われるが、画期的にシステマティックな官僚制度を世界に先駆けて導入したのが中国だったことを思えば、両国の親近性は実は官僚制度をめぐる態度に遠因があったりするのかもしれない。なんにせよ近代国家というものにとって行政システムはある本質的な核心をなしていて、「右だ」「左だ」とけたたましい立法府の世界の目くらましの陰に隠れ国民国家というものの輪郭を明確につくりあげているのは間違いないだろう。

悲しき歯車たち

うっかり「陰に隠れ」と書いてしまったが、本当のところ、行政府で働く公務員という存在が一般の市民との関係においてどういう立ち位置にあるのかは何やら曖昧模糊としている。この顔のない集団は、別に市民をレペゼンしているわけではないし、難しい試験を通っているからといって市民に対して彼らが威張っていい権利が付与されたわけでもなく、「その割には威張ってるよな」という愚痴は控えておくとしても、逆に公僕だからといって、それだけで無闇に政治家や市民に蔑まれたり小突き回される筋合いもない。

無表情で機械的な彼らのありようは、よく「ロボット」と揶揄されるけれども、なぜ彼ら／彼女らがそうなのかを彼ら自身に問うてみたところで、おそらく答えは「そういう風にしかできない」となりそうで、そうであるならいちいち個人を責めても仕方がない。彼ら／彼女らだって仕事を離れれば表情豊かなお父さんやお母さんや、情感溢れる恋人だったりするだろう。とするなら、彼ら／彼女らがいざ持ち場につくとロボットになってしまう理由は、彼ら／彼女らがその一部をなしている仕組みそのものにあると考えるのがフェアなのかもしれない。

企業であろうと行政府であろうと、官僚的な機構にガッチリと適合してしまった人や、その人の置かれた状態は、よく「歯車」ということばで言い表されるけれど、この「歯車」という語が含意するところはなかなか奥深い。「歯車」であるということは、いったい何を意味するかというと、その機構は全体として「物理的な工学機械」であるとイメージされているということで、産業革命をテコにして近代国家およびそれを動かすメカニズムとしての行政機構が出来上がっていったことを思えば、そのイメージは妥当すぎるほどに妥当だ。国家をひとつの機械として設計し、管理、運営すること。その仕組みとしての行政府。そして、そのパーツ＝歯車としての公務員。

行政府のメカニズムは先にも触れた通り、産業化によって生まれた組織、つまりは企業や工場といったものへと敷衍されていき、製造のみならず輸送（郵便）やエネルギー、放送、新聞などの情報分野、さらには病院や学校といったインフラにまで採用されていくことになるわけだが、当時においてそれが重要だったのは、それがまさに「ＯＳ」の統一化を意味していたからだ。近代の行政システムによって近代国民国家は、産業・経済から医療、教育、生活、文化など社会の全領域を初めてひとつの機械＝ＯＳによって束ねることができるようになったのだ。それは確かに偉大な発明ではあって、その発明がなければ近代国家は国家としての実体をもつに至ってはいないだろうし、世界的に普及もしなかっただろう。

というようなことは、マックス・ウェーバー以来ずっと語られてきたいまさらな話であろうけれど、行政のいまのありようがすっかり当たり前になってしまった地点から見ると、ＯＳの全面統一化がいかに途方もなく特異な事業であったかは見えなくなってしまう。かつてそれが驚きと新しさと未来感、なんなら恍惚感すらもたらすものであったことを、いま一度思い出しておくのは重要だ。そのシステムが生活のあらゆる細部にまで張り巡らされ、人智の及ばぬほどの複雑さをもつに至ったいま、それが原初において人びとに与えた幻惑、魅惑に改めて思いを致すことは意味のないことではない。いまとなってはそれはあまりに巨大すぎて、もはやわたしたちの目に入りすらしないのだから。

かつてとある対談で音楽家のブライアン・イーノは、AIの脅威をめぐって、こんなことを語っていた。

「AIが高度化すると、それがもはや人には認識できないものとなり、それが人類にとって重大な脅威となるといったことを言う人がいるけれど、自分がブラジルからロンドン行きの飛行機に乗ったとして、そのフライトのために、いったいどれだけの数の人間が関わっていて、彼らがどんな仕事に従事しているのか見当もつかない。世界はとっくに、どうやって作動しているのかわからないものになっているけれど、それでも安全だと思ってわれわれは飛行機に乗る。AIの話もそれと一緒だ」

いま思い起こしてみれば、彼はきっとここで、巨大システムを動かす官僚的機構そのものについて語っていたのだ。そのシステムはグレーバーも指摘している通り、あまりにも抽象的で巨大で複雑だ。ところが、その精密さ精緻さに関してはいささか頼りないところがある。そのOSが機械であるとしても、それが鉄や鋼でできているなら物理法則に則って動きもしようが、残念ながら近代行政府の機構は、悲しいかな、それを組み上げ動かす部品として「人」をあてにすることしかできなかった。いかに無表情にロボットを装ってみたところで、その「生物歯車」は時に集中力も欠けば、気も散るし、むしゃくしゃすることもあれば、ついつい悪心や出来心を起こしてしまったりもする。そういう「なまもの」が歯車の役を務めるのだから、いかに精緻に設計されたOSであっても、抽象的なシステムとしての、あるいは機械的な機構としての信頼性はどうしたって不安定なものとならざるを得ない。人はどんなに努力しようとも、どんなに執拗な機械化教育を幼年期から施されようとも（近代教育システムは、概ね代替可能な金太郎飴的な歯車を生産するところにその意図があったわけだが）、「機械」にはなれない。にもかかわらず近代の行政システムは、人に機械であることを求め続ける、なかなか酷なシステムだった。システムがシステムとして作動するために、人が無色透明な機械であることを、それは要求し続けるのだ。

世界史を見てみると、近代的な行政システムの嚆矢となったのは宋代の中国の「科挙」となろうけれど、この仕組みが行政官僚に求めた要件は、別のやり方で、やはり非人間的なものだった。科挙は行政官に、学問においてトップクラスであることを求めただけでなく、儒教的に非常に高い徳を積んでいること、さらには文芸にも秀でた超一級の文化人であることすらも求めている。西洋近代の官僚とはちがってこちらは一種の「超人」であることを公務員に求めたのだ。公務員イコール超人という観念はいまではすっかり廃れたようにも思えるが、国家公務員というとオツムの出来のいい人で、志の高い清廉な人たちであることをつい期待してしまうのは、現在の中国でも、下手すればここ日本でもありそうなことで、それが果たして科挙制度の影響なのかどうか即断はできないにせよ、自分の子どもが国家公務員になるとなってそれに猛然と反発する親はおそらく少数派だろう。なんなら多くの人がむしろ誇りに思ったりするのではなかろうか。

行政システムを作動させる官僚組織が無表情な「歯車」の一群であっても、あるいは凡民には足元にも及ばない「超人」の集団であっても、どっちにせよ市民にとってはちょっとどこか不気味な集団ではある。それが変なかたちで徒党を組んで自分たちをいじめにかかるようなことがあるとさすがに困ったことになる。正規の手続きを経て選ばれてさえいればアタマのネジが外れた独裁者の言うことであってもニュートラルかつ機械的に粛々とその指示を実行するのがこのOSの基本的な原則だ。「それは、ちょっと……」と首をひねるような困ったコマンドが発令されたとしてもOS自体にそれを疑ったり拒否する機能はない。凡庸な官僚でしかなかったアイヒマンのヤバさは、そういう意味では官僚制度に支えられた近代行政府のヤバさそのものだった。

歴史は右派の政権のもとで行政府や官僚の横暴が横行するのを見てきたけれど、同じくらいひどいことは左の政権でも起きたことをわたしたちは知っている。そうした悲劇的な問題が起きたことのそもそもの要因は、もちろん政治的実権をもつ政権の理念や政権を司る長の妄執などにあったわけだが、それが全国民を巻き込んで破局的な悲劇を引き起こしたのは手足となる行政府であるところの統一オペレーティングシステムが国内全土に効果的に張り巡らされた結果でもあっただろう。その任務遂行能力は機械的であるがゆえに暴力的なものになりうるし、もしかしたら歯車が人だったがゆえに、機械以上に暴力的になりえたのかもしれない。

人間はバグでしかない

かつての旧ソビエト連邦領の国々で現地の人に話を聞くと、ソビエトの行政官僚に小突き回された記憶がいまだ生々しく残っていることをことばの端々に感じ取ることができる。

たとえばエストニアは行政システムを世界に先駆けてデジタル化し、「X-Road」という統一OSによってそのシステムを運用しているが、彼らが執拗なまでに行政システムの自動化を追い求めるのは、そうした記憶と決して無縁ではない。「人は腐敗するから」と彼らはことあるごとに言う。人がそこに関与する限りシステムはバグだらけのものにしかならない。それを知っていればこそ彼らは、行政システムがその発明当初から願われていた通り、それが「機械」によって運用されることを強く求める。人を排除したシステムであることこそが本来の行政府のあり方。少なくとも現状われわれが手にしているマシンで実行できる仕事なら、とっととそこから人を排除するに越したことはない。システムのなかに埋め込まれている限り、人はバグ以外のものではありえない。なればこそ、そこから人の関与を排除してあげるほうがはるかに人間的だと彼らは考える。かくしてエストニアは徴税の全自動化を実現できるほどまでに行政府の機械化を推し進めた。

こうした流れの一方で行政府はまた別の変革期を迎えてもいる。先ほど近代の行政府は、機械、それも物理的な工学機械をモチーフとしていると記したが、コンピューターの登場と動力の電力化によって、かつて想定されていた「機械」のイメージはとうに更新されてしまっている。スチームパンク的なイメージのなかで構想されたシステム＝機械は、サイバーなものへと変容している。そして、すでに社会生活もビジネスもデジタルの世界へと大きく舵を切っているなか、旧来のスチームパンクガバメントはいかにも前時代的なものに見える。人口の大半がスマホを携行しネットワークに常時接続されている状態がつくられてしまったいま、国家をガバナンスするOSが歯車で組み上がった従来のヒエラルキーマシンでいいはずがない。そのOSは、分散化され、かつネットワーク化されたものとなるべきではないかというのが目下の見立てだ。

これまでの行政改革はというと、大筋では、政府を小さくするか大きくするかの二択であったけれど、世界のあちこちでいろいろと試行錯誤がなされた結果、どちらも一長一短であるということがわかっている。大きくすれば財源が足りないし、小さくすれば不平等が起きる。そこでいまわれわれが直面しているチャレンジはといえば、少ない財源で可能な限り大きく公正なシステムをいかにつくりうるか、ということになるわけだが、そんな「できない相談」も、デジタルネットワークをうまく使うことで解決できるのではないかというのが「ガバナンスイノベーション」と呼ばれる「行革」の基本的な道筋となっている。

グーグルやフェイスブックが社会に悪をなしているという論調はトランプ大統領が当選する二〇一六年くらいからかなりの風圧となり、それに煽られるかたちでGDPRが世界的な注目を集めるようになった。インターネット上のサイバー空間をいかにガバナンスするかは近代国家そのものの存在意義を脅かす問題として、世界のどの国も無視できなくなっているが、そうしたなかでたまに聞こえてくるのは「グーグルやフェイスブックがやったことは、本来であれば公共セクターがやるべきことだった」といった論調だ。

巨大SNS企業がもたらす暗黒を描いた『ザ・サークル』という小説（後に映画化）のなかにも、SNSはどうせ国民の大半が利用しているのだから、そのSNSアカウントを使って選挙投票を行えるようにしてしまえばいい、といった議論が出てくるのだが、そのエピソードは、まさにSNSが本質的に行政的なプラットフォームたりうることを暗に明かしてもいる。もちろん小説はこの挿話を、一私企業が国家的権限を肩代わりすることのおぞましさを指摘すべく語っているのだが、そうとは知りつつ、国民ひとりひとりにデジタルIDとアカウントが割り当てられ、それを通して投票ができたり、納税ができたり、引っ越しの届出をしたり、家やクルマを購入したときの手続きをしたり、役所に意見を言ったり、自分が受けられそうな税制の優遇や福祉サービスのお知らせがプッシュ通知で届いたりといったことを、それが安全かつ信頼に足る仕組みであることを前提に実現できたなら、なんて便利なんだろうと思わざるを得ないのも事実だ。そして何を隠そう世界中の行政府は、実にこうしたアップデートを目指しているのだ。何もデジタル先進国と言われる国だけが、そうしたアップデートに勤しんでいるわけではない。ガバナンスイノベーションでいま目覚ましい成果をあげつつあるのがインドであることを知ったら驚かれるだろうか。

行政府が機能しなくなる時代の行政府

日本の選挙において、投票所をもたない過疎化した限界集落における投票方法をテレビで紹介していた。なんと投票箱をクルマで運んで家々を回っているというのだから驚くではないか。いくらコスト削減が最重要課題だと言っても過疎の村に投票を断念してもらうわけにはいかない。といってスマホやPCを使えない人も多かろう。であればこその、この涙ぐましいソリューションであることはよくわかる。にしたってクルマで投票箱を運ぶ以外、このご時世にだよ、ほかにやりようが本当にないのか。オンラインで投票できるようにできないものか。いまのご時世であれば誰だってそう思うだろう。

デジタルテクノロジーは、そう考えれば行政機構とは非常に相性がいい。生物歯車を排除してコードとアルゴリズムによって制御されたシステムは、むしろ近代行政府が最初から喉から手が出るほど欲しかったものだ。グレーバーもまた、ドイツの郵便が世界に与えた衝撃はインターネットが世界に与えた衝撃に似ていると指摘している。ただし必ずしもポジティブな意味で語っているわけではない。近代郵便の恍惚が悪夢のような全体主義をもたらしたことを思えば、デジタルテクノロジーに楽観しているばかりではいられない。グレーバーはその類似性をあまりにも的確に、こうまとめる。

「1　あるあたらしいコミュニケーション・テクノロジーが軍隊から発達してきた。
2　それは急速に普及し、日常生活を根本から変革した。
3　目も眩むばかりの効率を有するとの評判が高まっていった。
4　非市場原理でもって機能しているがゆえに、古いものの外皮のなかですでに成長しつつある未来の非資本主義的経済システムの最初の胎動として、急進派たちがとびついた。
5　にもかかわらず、それはただちに、政府による監視、そして、広告と望まれないペーパーワークのはてしない新規格を拡散させるための媒体と化した。」

その最新OSを使えば人類がなし得なかったフェアで豊かな国家がつくれると考えたレーニンの迂闊さを一〇〇年後のいま識(そし)ることは簡単だが、わたしたちがその轍を踏む可能性は大いにある。レーニンの夢をわたしたちはむしろ他山の石としなくてはならない。インターネットを用いた行政府のアップデートを夢見ることが新しい悪夢へと至りうるかもしれないことは十分に考慮に入れておかなくてはならない。その上でわたしたちは、いま以上には決してお金がかからず、かつ、すべての市民や企業が自分に見合った自分らしいやり方で生きていけるような社会システムを構想しなくてはならない局面にある。行政府の破綻は目に見えて迫っている大問題だ。

グレーバーは『官僚制のユートピア』という本の趣旨を、序文においてこんなふうにまとめている。

「だれもがひとつの問題に直面している。官僚の実践、習慣、感性がわたしたちを包囲している。わたしたちの生活は、書類作成のまわりに組織されるようになった。しかし、こうしたことがらを語るために用いているわたしたちの言葉は悲惨なぐらい的を外している。あるいは、問題をさらに悪化させるよう故意にそう仕組まれているともいえるかもしれない。このような過程のなかでわたしたちがいったいなにを不満に思っているのか、それを語る方法、それにともなう暴力について、率直に語る方法を探る必要がある。しかし同時に、それ［官僚制的なもの］に魅力があるとすればどこか、なにがそれを維持しているのか、真に自由な社会でも救済に値する潜在力を有しているとすればそれはどの要素か、複雑な社会であれば不可避に支払わざるをえない対価と考えるべきはどれか、あるいは完全に根絶できるし根絶せねばならないものはどれか、こうしたことを、理解しなければならないのである」

またグレーバーは、現在のシステムの限界を面白いエピソードを通して紹介している。彼が参加する「ニューヨーク直接行動ネットワーク」という脱中心的なネットワーク組織に、あるとき自動車が寄贈されたという。ところが、このことがある困難を引き起こした。

「法的にみれば、脱中心的ネットワークが自動車を所有するということは不可能であるということが、しだいにわかってきたのである。自動車を所有できるのは個人か、さもなくば法人（擬制的個人）ないし政府である。ネットワークには無理なのである。（中略）とはいえ、これらのような物品を民主的に管理することが、本質からして困難であるというのではない。歴史は、共通の資源の民主的管理に関与してうまくいったコミュニティの事例であふれている」

世界でいま構想されつつある次世代行政府は、こうしたグレーバーの考えに異を唱えるものではなく、むしろ多くの点でシンクロしている。インターネットがかつての郵便制度とははっきり違って「はるかに参加型でボトムアップの協働形態をふくんでいる」ことの価値をグレーバーは認め、そうした協働形態を通して新しい「公共」のあり方を模索してみることを提案してもいる。

次世代行政府のあるべき姿を考えることは、そうしたインターネットの本性を行政府が有用化することで、いかにポジティブにその「潜在力」を発揮しうるかを考察するもので、行政府が必要か不要かといった議論にはあえて踏みこまない。なぜなら、今後の行政府はいずれにせよ、これまで国家が一手に引き受けてきた公共的役割や機能を徐々に手放し、そのガバナンスの権限を市民やコミュニティの自助システムに返還・委譲していくことになるはずだからだ。行政府のDX（デジタルトランスフォーメーション）を考えることは、言い方を換えると、行政府が機能不全に陥ったとしても、せめて市民の暮らしは安全に運営されるよう道筋を考えることに他ならないのだ。

次世代ガバメントのつくり方

仮想雑談　ソーシャルコメンタリーとしてのＮＧＧマニュアル

FAKE DIALOGUE BY KEI WAKABAYASHI
ILLUSTRATIONS BY KENRO SHINCHI

暮らしが変わってもOSはそのまま

——次世代行政府って、だいぶ大きなテーマですね。

ですね。どこから話していいかよくわからないくらいなんですが、最近ようやくわかってきたのは、「デジタルイノベーション」とか「デジタルトランスフォーメーション」（DX）っていうものの一番の核心は、ここにあるということなんです。

——と言いますと。

「デジタルトランスフォーメーション」って、ずっとビジネスの領域での話が主体だったわけですけど、ビジネスが変わって民間のサービスが変わっていくと、それにつれてみんなの生活も変わっていきますよね。

——はい。

その結果社会の動き方が変わってくると、それまで社会を形づくっていたシステムと、実際の生活とがずれていってしまうわけです。簡単に言うと、アプリケーションはどんどん新しくなっているのに、OSが古いままなのでアプリそのものがうまく作動しないということになっちゃうんです。

——そのOSが「行政府＝ガバメント」ということなわけですね。

はい。そうした状況を生み出した一番大きな要因は、やはりデジタルテクノロジーなんです。たとえば「キャッシュレス」なんていう話がありますね。

——はい。

これって、ユーザーの側から見ると、お金をもち歩く必要がなくなって便利だなって思うくらいかもしれませんけれど、これを実現することによって起こる変化っていうのは、想像するだけで大変なものじゃないですか。窓口は要らなくなるし、現金輸送車も要らなくなるし、ＡＴＭも要らなくなるし、銀行の営業時間も気にせず二四時間三六五日いつでも振込みもできるしで、ユーザーにはいいことばかりなんですけど、銀行の側からしたらおおごとですよね。いままでのオペレーションシステムは無効化し、せっかく全国に築きあげた支店網も不必要になってしまうわけですから。

——ほんとですね。

たしか英国のどこかの銀行の頭取だったかが、「みながスマートフォンでバンキングをし始めることによって、七時〇一分のパディントン発、ウォータールー行きの列車が最も取引高の高い銀行となる」という言い方をしていたのですが、デジタルテクノロジーによって起きる変化というのはまさにこういうことで、これによって銀行は、これまでのＯＳをつくりかえざるを得なくなってしまっているわけです。

——同じようなことが行政府という領域でも起きる、と。

それが起きないと逆に困ったことになっちゃいますよね。せっかくキャッシュレスでお金が動いているのに、たとえば肝心の納税のところは、これまでの手続きのままだったりしたら全然意味ないですよね。社会のキャッシュレス化というのは、要は「現金を動かす前提でつくられていた社会」が変わるということなんですけど、それを全面的に実行するためには、

Column 1

そもそもガバメントのイノベーションはなぜ必要？
デンマークの第一人者が指摘する7つの理由

行政府のイノベーションがいま必要とされているのは、なにも日本だけではない。ガバメントトランスフォーメーションを促している世界的な潮流とはなにか。ガバナンスイノベーションの第一人者クリスチャン・ベイソンの『Leading Public Sector Innovation：Co-creating for a Better Society』にはこうまとめられている。

1. **生産性の向上の必要性**
行政府は、市民からも民間セクターからも税収をより効率的・効果的に使うことが求められている。かのドラッカーは、行政府は税収を最大化することに注力しすぎで、プロダクションモデルの最適化を怠っていると、1985年に指摘していたという。

2. **市民の期待の高まり**
民間サービスの質が高まり、ユーザーのリテラシーも向上していくと、同じような利便性や快適さ、カスタマイゼーションを行政サービスにも求めるようになる。社会が豊かになればなるほど、サービスに対しても同等の「豊かさ」を求めるようになる。

3. **グローバリゼーション**
クロスボーダー化するビジネスは、教育、学問研究、労働市場、金融などを流動化し、GAFAのようなテック巨人によってローカルビジネスは危機に晒される。グローバル化の恩恵を損なうことなく、いかにリスクを最小化するか。行政府の差配に大きな責任が宿る。

4. **メディア**
24時間365日、双方向での発信を可能にするデジタルメディア環境のなかで、行政府はいかに正確な情報を市民に提供し、透明性と信頼性を保つことができるのか。さらにそうしたメディア環境のなかで、いかに公共活動への市民参加を促すことができるのか。

5. **デモグラフィックの変容**
高齢化や人口減少は世界的なテーマでもある。高齢者の増加は公共財源を圧迫するのみならず、行政府内での有能な若いスタッフの確保をも困難にしていく。

6. **ショック**
パンデミック、津波、テロ、ハリケーン、金融ショック、サイバー攻撃と、行政府はかつては想像もしえなかった予期せぬ衝撃に頻々にさらされている。予測不能な事態に素早く効果的に対応するために、行政府は仕事のルールを再考する必要がある。

7. **気候変動やSDGs**
地球環境の持続可能性は地球規模の課題であり、この課題に取り組むにあたって行政府は重要な役割を担っている。SDGsにおいて掲げられたグローバルゴールを達成するためのイノベーションは、公民かかわらず、あらゆるセクターにとって急務となっている。

References
"Leading Public Sector Innovation：Co-creating for a Better Society" Christian Bason
https://policy.bristoluniversitypress.co.uk/leading-public-sector-innovation-1

これまでの仕組みを全面的にアップデートしなくてはならなくなっちゃうわけです。「紙の書類が前提となっていた社会」あるいは「九時から五時で働くのが前提となっていた社会」「買い物をしようと思ったら自分が買いに行くことが前提になっていた社会」といったものをデジタルテクノロジーが変えていってしまうわけです。そうした生活のあらゆる行動に行政システムは関与しているわけですから、そこが変わってくれないと、ただ表面が変わって見えるだけで社会そのものはまったく変わってこないんです。市民の暮らしと社会を動かしているシステムとがずれてしまうんですね。いま、誰もがそれを日々さまざまなところで感じているのではないかと思いますが。68頁・コラム11

——社会がデジタルテクノロジーを前提とした新しいものになっていくためには、行政府が変わらないと、本当の意味での社会のアップデートにはならないということですね。

そうです。そっちのほうをとにかく真っ先にやらないとまずいんじゃないかというのが世界を見渡したときの現状なんです。北欧であれ、アメリカであれ、中国であれ、インドであれ、どこの政府も、そういう意味での「行政改革」は急務なんです。

——それはどうしてなんでしょう?

行政のトランスフォーメーションは急務

日本でも地方なんかを見てますと、ビジネスマンは比較的まだのんびりしてるんですね。

〈新しい生活・古いOS〉
人の暮らしはデジタルテクノロジーでますます多様化する。でも行政インフラは昔のまま。なので、むしろ手間が増えていく

それなりに危機感はあるんですが、向こう一〇~二〇年くらいはなんとか食べていけるんじゃないかというような算段を漠然としていたりはするんです。もちろんそれが絵に描いた餅になる可能性はあるのですが、企業よりも目に見えてヤバいのは、むしろ行政府なんです。財源がそもそも足りていない上に、深刻な人口減少と高齢化に見舞われていますから、どんどん公共サービスが行き届かなくなっているわけです。地方でも都市部はまだ効率化する余地がありますが、高齢者がまばらに散って暮らしている市街地以外のエリアは、サービスを効率化することもできないままインフラを維持しようとするとただ赤字になってしまいます。そうやってバス路線がなくなり、郵便局がなくなり、病院がなくなっていくということが起きていて、それはまずいと思っていても、なんとかするためのお金もありませんし、そういったエリアはビジネスしようにもコストが非常に高くなって民間企業も参入してきません。33頁・コラム2

——コストが高くなるというのは?

一〇人しかいない村のためにバスの定期便を走らせても、お客さん一人当たりにかかるコストが高すぎて、普通のバス料金の設定だと必ず赤字になってしまいますよね。

——たしかにそうです。

ですから、自治体ももはやお手上げ、民間企業はビジネスにならないので参入しないという領域がどんどん広がっていますし、今後ますます広がっていくんじゃないか。そして、それはさすがにまずいんじゃないかという危機感が、世界的なものになっています。それを受けて「ガバナンスイノベーション」という領域が大きく注目されるようになっています。

——日本だけの特殊事情ではない、と。

日本の地方の市街地以外のエリアで起きている問題と、たとえばインドの僻地の貧村で起きている問題は、基本的には似たものと理解していいと思うんです。もちろん、それぞれに特殊な事情はありますが、人口が密集していないエリアにおいて、なんらかのサービスを提供しようと思うと、従来のやり方ではコストが高すぎて、それを賄うことができません。インドなんかですと、これまで国がいくら頑張ってもそれをうまく賄うことができず、貧しい人たちがずっと貧しいまま捨て置かれていたわけですが、世界を見渡してみると、七〇億の人口のうち五〇～六〇億とも言われる人たちがそうした状態にあるとされています。一方の日本は、一億総中流と言われたように、一時は貧しい人たちの暮らしをよくすることに成功して、みんながほぼ等し並みに一定の雇用や福祉サービスや教育などを受けられるようになったわけですが、さまざまな理由から行政府がそうしたものを経済的に支えることが困難になり、さらに高齢者が増えたことで、地域によってはサービスが行き渡らないような状況が出てきつつあるわけです。置かれている経済的な背景や、援助や扶助の対象となる人の状況はちがいますが、インドやアフリカでも日本の地方でも、課題の構造は図らずも似たものになっていると思います。そうした課題をどう克服するのかをめぐってアイデアが必要になっている状況も似ていますし、であればこそ、それを克服するためのいいアイデアやソリューションがあれば、インドでも日本でも、きっとそれは役に立つだろうという期待もあります。

公共をどう維持するのか

──「行政府をどうアップデートするのか」という問いは、別の言い方をすると、「公共」というものをどう維持するのか、という問いでもありそうですね。

〈人が減ると、重くなる〉
人が減ると、一人当たりの負担が増えていく。みんなで支えていた公共サービスが、どんどん重たくなっていく

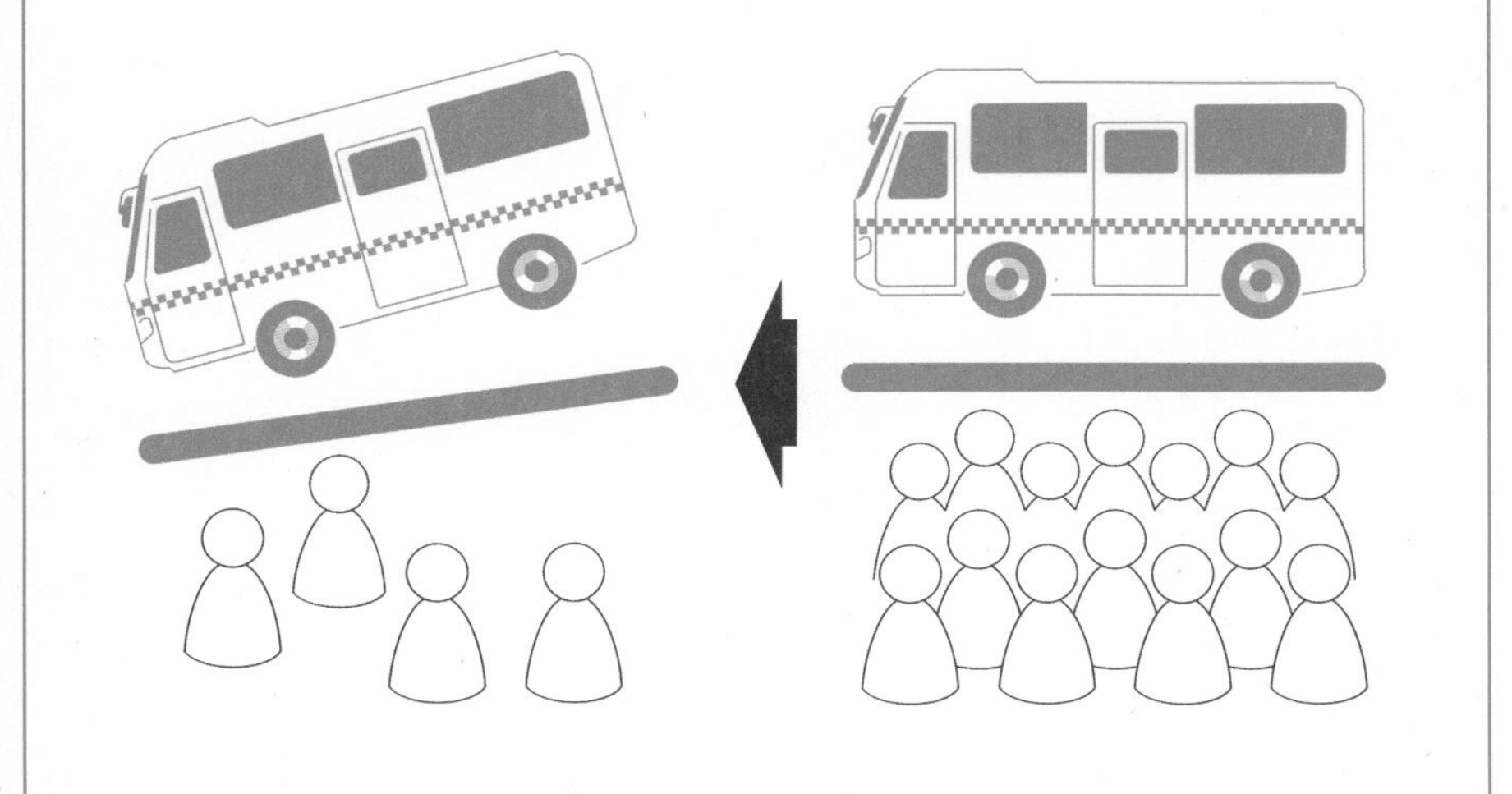

まさにそうだと思います。近代以降の「行政府」の理想は、国民全員に生活やビジネスのためのインフラを行き渡らせるところにありました。そして、それを行き渡らせるための仕組み（システム）として、近代国家を運営していくのに必要不可欠な「ＯＳ」となったのが「行政システム」でした。ここで提供されるサービスは国民全員のためになるものなので、みんなで税金を出しあって、そうしたサービスを維持していきましょうということになっていて、そのために税金を徴収し、中央で集約して、財務省にあたる組織が分配の予算を組み、今度はそれが全国に向けて配給されていくと、こういう仕組みだったわけです。とても簡単に言うとですが。

——はい。

そうした考え方のもと産業界と政府がしゃかりきになって国中に道路や電気や水道などを通すようなインフラ整備をして社会を近代化し、産業化しましたが、そうやってゴリゴリと近代化・産業化を推し進めていきますと、今度は働く人たちがいたく疲弊していくことにもなり、そうなると社会はどんどん不安定になり、革命なんかも起きたりします。それをなんとかせねばと、国として、選挙権や基本的な福祉や教育といったサービスを受ける権利を「みんなのもの」として段階的に保障していくようになります。フランス革命と産業革命から始まった近代の歴史は、変な言い方かもしれませんが、「みんな」の枠組みを、三歩進んで二歩下がりながら拡張してきた歴史とも言えそうです。

——なるほど。

ところが、こうした「みんなのもの」としての公共サービスの難しいところは、そこでいう「みんな」とは誰なんだ、というところにあったりするわけです。

——と言いますと？

手荷物は、この方向に進みます。
危険ですので、返却台の上には
上らないで下さい。
ANA

Column 2

人口減少のデス・スパイラル
国交省の中長期展望が明かす恐るべき「悪循環」

市民の高齢化と人口減少は、とりわけ地方の生活に大きな影響を与え、ガバナンスイノベーションを促す大きな要因となる。人口減少がもたらすインパクトを国土交通省は、下記の5つに大きく分類している。それぞれは別個の問題ではなく相関している。また、それを放置しておくことでさらに人口減少に拍車がかかることにもなる。

- 生活関連サービス（小売・飲食・娯楽・医療機関等）の縮小
- 税収減による行政サービス水準の低下
- 地域公共交通の撤退・縮小
- 空き家、空き店舗、工場跡地、耕作放棄地等の増加
- 地域コミュニティの機能低下

たとえば、一般病院がある市町村に一定以上の確率で立地するためには5500 ～ 27500人、喫茶店が立地するためには2500 ～ 7500人、カラオケボックスが立地するためには17500 ～ 37500人の人口を要するが、この人口を割り込むと、地域から次々とサービス産業が撤退していくこととなる。サービス産業の衰退は、雇用や税収の減少、公共交通の縮小、さらに空き家の増大をもたらす。こうして生活利便性のみならず、地域の魅力が下がっていくことによって、さらなる人口減少に拍車がかかる。人口減少によってもたらされる悪循環は、以下のようなダウンスパイラルに陥ることになる。

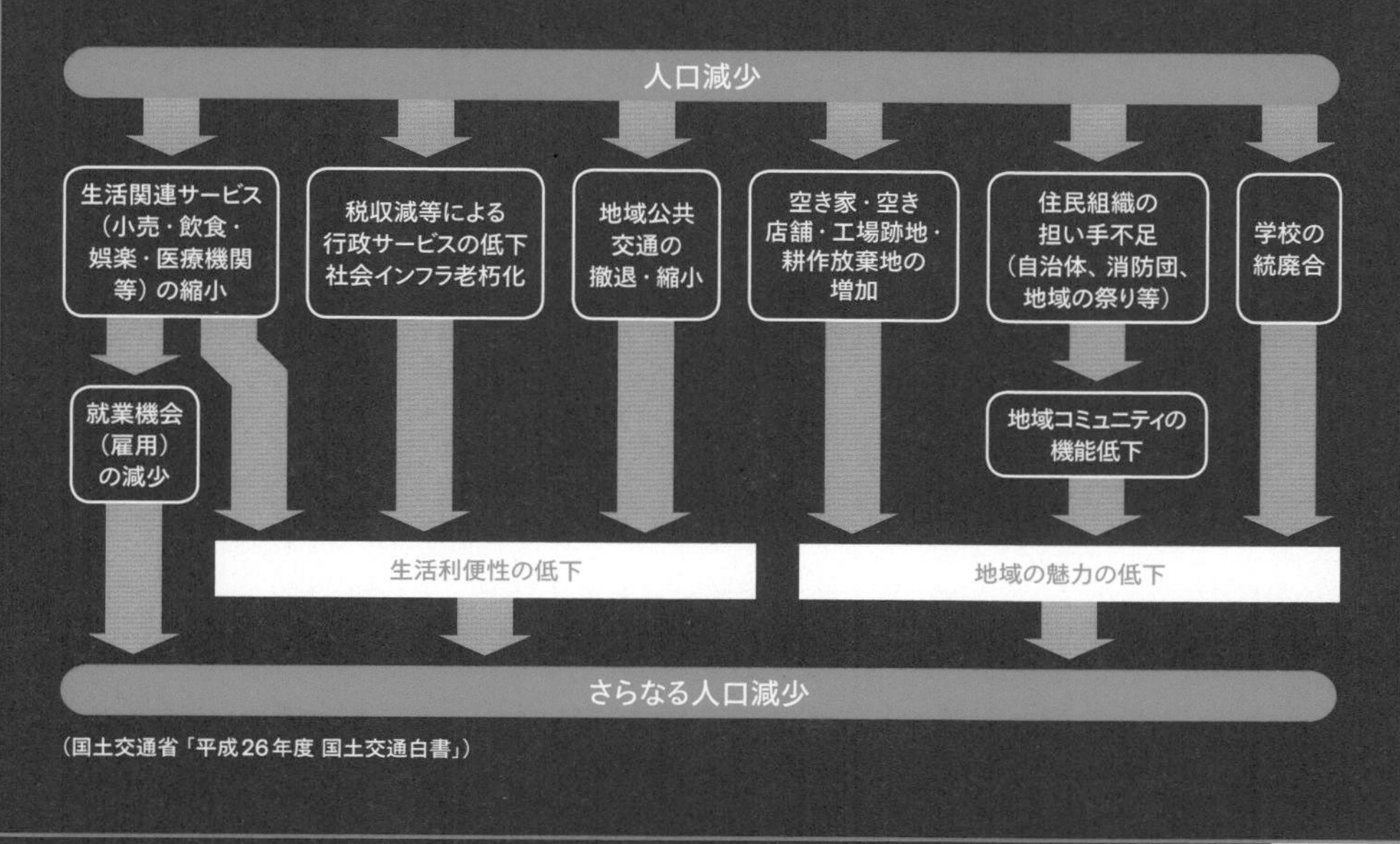

（国土交通省「平成26年度 国土交通白書」）

References
「平成26年度 国土交通白書」第1章第2節「人口減少が地方のまち・生活に与える影響」
http://www.mlit.go.jp/hakusyo/mlit/h26/hakusho/h27/pdf/np101200.pdf

「大して国に貢献しているわけでもないやつに、なぜ分配しなきゃいけないんだ」みたいな議論が出てきちゃうんですね。

——ああ、なるほど。

「みんなが平等にサービスを受けられるようにする」ということについては、多くの人が納得するとは思うんですけど、そこでいう「みんな」に誰を含むのかというところについては、いまなお世界中で大揉めに揉めています。昔は「みんな」のなかに女性や子どもが入っていなかったり、特定の人種の人が入っていなかったり、あるいは移民が入っていなかったり、といったことがありましたし、いまもそうした区別はどこにでも根強くありますね。そうした選別は基本、残念なものですが、「国への貢献」や「生産性」に応じて受けられるサービスを限定すべきだといった声は、どうしたって上がってきてしまうものです。というのも、国や自治体の財源には限度がありますし、限度あるお金を分配するとなったら「優先順位」をつけなくてはならなくなるからです。困っている人はたくさんいる。けれども使えるお金は限られている。となれば、どうしたって、「じゃあ、どの困っている人から助けようか」という議論にならざるをえませんよね。

——貧しい子どもたちを助けるのか、お年寄りを助けるのか、あるいは産業を先に助けるべきなのか、もしくは全員に関わることなのだから軍備にもっとお金を使うか、といったことですね。

とはいえ、みんなが困っているわけですし、みんなが安全に心安らかに暮らしたいのですから、全員助けてあげられたら、ほんとは嬉しいはずですよね。お金がうなるほど余

〈「みんな」の線引きとインクルージョン〉
公共サービスはみんなのもの。でも「みんな」の線引きはとても恣意的。
誰も排除されない社会をつくることは「SDGs」のターゲットでもある

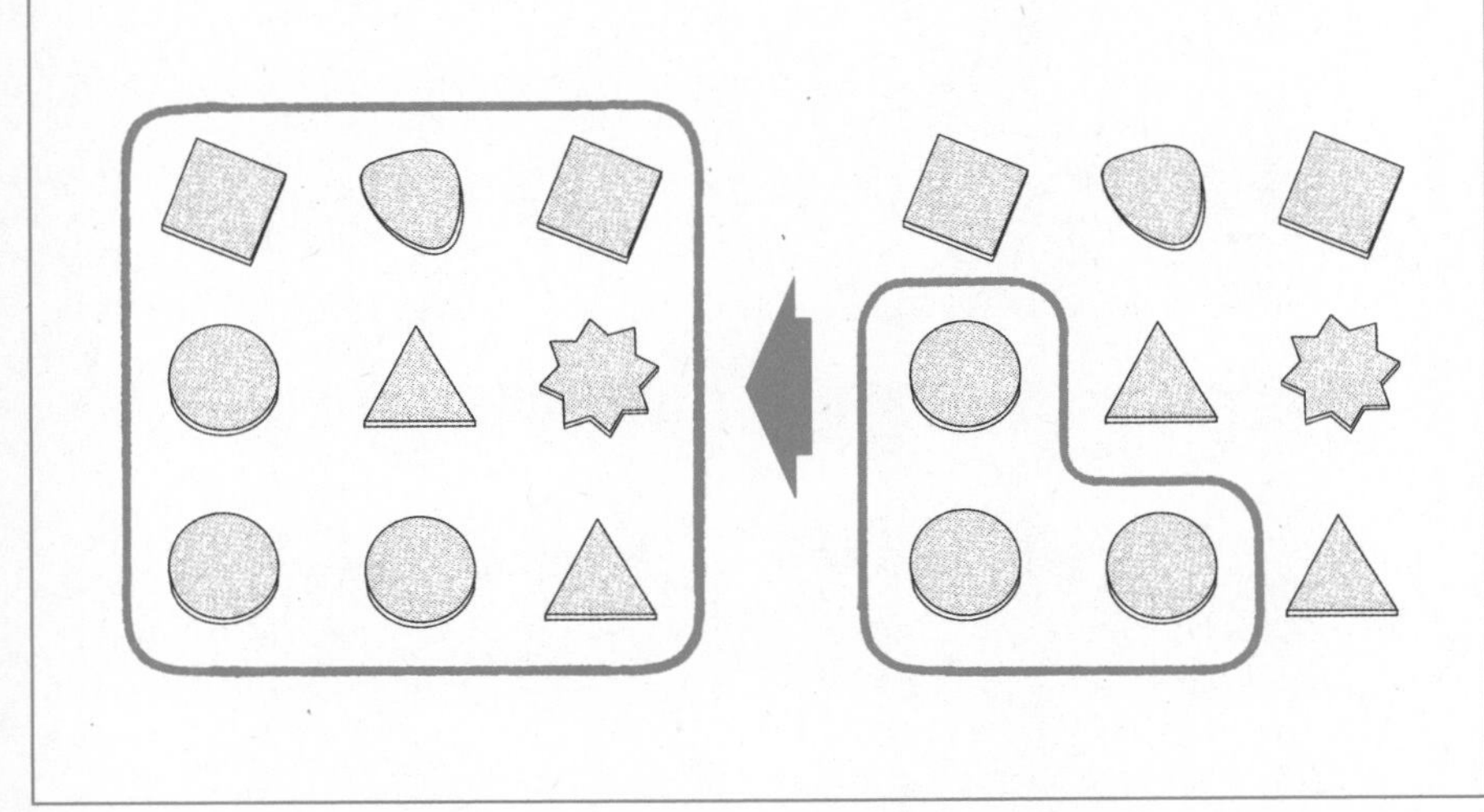

っていれば、ケチなこと言わないで大盤振る舞いしたいところじゃないですか。でも悲しいかな、そうはいきません。仕方ないので、どこからお金を使っていくべきかを決めるための仕組みが必要で、この代表的なものが選挙という仕組みなんですが、これは基本的に「人数の多いところを優先する」という多数決による合意形成の方法ですし、そこまでキメの細かい意思表示はできないものですから、かなりざっくりとした合意形成しかできません。その結果「小さくて細かい困った」はずっと放置されてしまうことになってしまうんです。

——たしかに。

小さい政府と大きい政府

もちろん政府としては、そうした「小さい困った」を解決したくないわけではないんだとは思うんです。アメリカでもイギリスでも日本でもそうですが、インフラをできるだけ国有化して、国の経済と国民の面倒を国がまるっとみようと、一九六〇年代くらいまでは国も懸命にやっていたんです。国主導の計画経済のもと、かなり社会主義的な政策が先進国でも取られてきました。ところが、公共サービスを行政府が丸抱えしてサービスを増やしていけばいくほど、人員もコストもかさんでいくことになりますから、行政府がどんどん膨張してしまい、サービスのコストもそれにつれて上がってしまい、逆にサービスの質がどんどん低下してしまうという事態が起きてしまいました。

——「大きい政府」の問題ですね。

はい。で、行政府がどんどん膨張していくと、効率もどんどん悪くなっていきますし、ただでさえ自分の「困った」が解決されないことに不満をもっている人からすると「無駄なところに自分の税金が使われている」という気持ちもどんどん大きくなります。組織が大きくなればなるほど管理が行き届かない場所も多くなりますので、腐敗も頻繁に起きるように

Column 3

人が減るとこれだけ困ったことになる

2050年の日本の目をそらしてはいけない現実

サービス産業がなくなる

地域人口が減少し、人口密度が低下していくと生鮮食料品店などの身近な生活利便施設が、徐々に撤退していく。その影響が大きい高齢者世帯を見てみると、「徒歩圏内に生鮮食料品店が存在しない」世帯の数はどんどん増えていく。

2005年　約46万世帯
↓
2030年　約99万世帯
↓
2050年　約114万世帯

地域づくりの担い手は誰？

行政頼みの地域づくりも、市場頼みの復興も困難ななか、非営利セクターへの期待は高い。非営利セクターの活躍は、社会貢献や地域への誇りの醸成、社会サービスの多様化・充実などさまざまな意義をもつが、海外と比較した場合、日本ではこの層が十分に厚いとは言えない。

行政コストが増加する

人口規模や人口密度の低下は、1人当たりの行政コストを上昇させる。最も人口の多いエリアと最も少ないエリアを比較すると、1人当たりの歳出額は倍以上も変わってくる。

地域の「扶助力」の低下

「65歳以上の高齢者1人当たりの生産年齢人口」を、地域ごとの「扶助力」の目安として見た場合、現在3人弱であるのが、2050年にはほとんどの地域で2人を下回ることとなる。

全国平均　2010年　2.76人
↓
全国平均　2030年　1.84人
↓
全国平均　2050年　1.31人

（総務省「国勢調査報告」、国土交通省国土計画局推計値を基に同局作成）

【各国の生産年齢人口に占める非営利セクター就業者の割合（有給／無給）】

ノルウェー 7.1%（2.7/4.4）
スウェーデン 6.8%（1.7/5.1）
フィンランド 5.2%（2.4/2.8）
デンマーク 6.5%（3.8/2.7）
イギリス 8.4%（4.8/3.6）
アイルランド 10.4%（8.3/2.1）
オランダ 14.3%（9.2/5.1）
ドイツ 5.8%（3.5/2.3）
オーストリア 4.9%（3.8/1.1）
カナダ 11.1%（8.4/2.7）
アメリカ 9.8%（6.3/3.5）
イスラエル 8.0%（6.6/1.4）
日本 4.2%（3.2/1.0）
ベルギー 10.9%（8.6/2.3）
フランス 7.4%（3.7/3.7）
スペイン 4.3%（2.8/1.5）
チリ 4.8%（2.6/2.2）
オーストラリア 6.3%（4.4/1.9）
アルゼンチン 4.8%（2.9/1.9）
ポルトガル 3.9%（2.8/1.1）

（The Johns Hopkins Comparative Nonprofit Sector Project）

References

「国土の長期展望」国土交通省
https://www.mlit.go.jp/common/000135838.pdf

なっていきます。非効率なのでサービスも低下します。ただでさえ金食い虫であるところに、国民の信頼も失っていくことになってしまいました。こうなったあたりから「行革!!」が盛んに叫ばれるようになっていくことになるんです。

——規制緩和とか、小さい政府といった議論ですね。

そうです。それが七〇~八〇年代あたりに出始めてきます。小さい政府を標榜したアメリカのレーガン元大統領の有名なことばに、「政府は問題を解決できるのか?は正しい問いではない。政府こそが問題なのだ」というのがありますが、ここで、行政府は社会にとっては、むしろ害悪だとみなされるようになっていきます。文化人類学者のデヴィッド・グレーバーという人は、官僚組織や行政府をこのように目の敵にする風潮を「官僚の悪魔化」と呼んでいますが、そうした気分は、日本でも相変わらず根強いものかもしれません。

——「〇〇をぶっ壊せ!」ってヤツは、だいたいがそうした官僚機構をターゲットにしていますし、そうするとウケがいいんでしょうね。

そうなんです。もちろん、そうした声に理がないとも思わないんですが、なんにせよ、そうした声を受けてというか、そうした声をつくり出すことによって、「小さい政府」という考え方が支持を得ていくことになります。

——公的なサービスを、行政府になんか任せてないで、どんどん民営化して市場に委ねていこう、と。

〈大きい困っただけが優遇される〉
多数決は大きい困ったには耳を傾けてくれる。でもますます多様化していく社会では、小さい未解決の困ったはどんどん増えていく

はい。「小さい政府」の考え方は、「市場」（マーケット）に委ねれば、価格と質の競争を通じて、より低価格で、より高品質なサービスが提供されるという考えです。行政府には手の届かない小さな課題であっても、ビジネス上の創意工夫や新しいテクノロジーの利活用によって市場がうまいこと解決策を見いだして、そこに新しいマーケットが拓かれることが期待されたのですが、結論を言ってしまえば、市場化したからといって新しい知恵が出てくるわけでもありませんし、新しい知恵を苦労して絞り出す労力をかけるよりも手っ取り早くお金になるところに向かいがちなのがビジネスの本能でもありますので、先ほどのバスの例でも見たように、行政府の手が離れた瞬間、サービス自体が消滅してしまうといったことも起きてしまうわけです。

古い時代のOS

――国鉄を民営化したあとのJRを見ていると、東日本や東海は順調でしょうけれど、それ以外のところはどうも大変そうです。

民営化のおかげでSUICAやエキナカが出来たりといいことももちろんたくさんあるわけですが、その一方で、民営化したとはいえ公共交通としての側面は強いわけですから、経営難だからと言って料金をやたらと上げるわけにもいきませんし、普通の民間企業のように「潰れました、すみませんでした」と退場してしまうわけにもいきません。いずれにせよ、長い目で見たときに、人口の少ない地域の人たちの交通や移動手段をどう確保するのか、というのはとても重要な問題です。理屈でいえば、もう一度国営化するなりといった方策が必要になるかもしれませんし、逆に「本当に鉄道が消滅する」という可能性だってないわけではないと思うんです。引き取り手がなければ経営を断念するしかないわけですから。

――それは困ります。

困りますよね。でも、いまわたしたちが直面しているのは、そういう状況です。国が整備したインフラやサービスの面倒を行政府がもはや見きれなくなり、一方で民間のビジネスの側には、そうした不採算なサービスを担う動機もなく、不採算を承知でそれを抱え込むだけの余力もないとなれば、サービス自体が消滅するしかなくなるというのは、おそらくいたるところで起きているんです。アフリカのどこかの国で、政府が公共教育サービスを投げ出した、というウソなのかホントなのかわからないようなニュースも見かけたのですが、そうしたことが世界中で起き始めています。英国では、学校の音楽教育のための予算が、この五年間で二〇%ほどカットされているという報道もありました。日本だって人ごとではありませんよね。そうした深刻な状況をどう克服するのかという課題が、ここで問題にしようとしている「次世代政府」というもののテーマなんです。とくに日本では九割近い自治体が、中央政府から支給される交付税にぶら下がるかたちでなんとか運営されていますけれど、国の財源も潤沢にはありませんし、すでにして六〇兆の税収に対して支出が一〇〇兆円とも言われてますから、これまでと同じ水準で交付金を出し続けるのは難しいかもしれません。そう考えると、「打ち切られてからどうするかを考える」なんて言っている場合じゃなくないですか？ 36頁・コラム3

——はあ。たしかに大変だ。

官僚の悪魔化

——しかし、なんでこんなことになっちゃったんですかね。

まず、人口減少によってサービスを提供するコストが上がったことと、ニーズの多様化によって画一的なサービスでは市民に満足されなくなったのが理由と言えます。であればこそ、これは何回も指摘しておいたほうがいいと思うんですけれども、官僚や公務員を目の敵にして「給料を減らせ」と言ってみたところで、なんの解決にもならないんです。聞いたところによると、ある地方自治体は、市役所の職員の数が一番多かったときと比べてすでに半分になっているそうです。そうしたなか、市民の生活がさらに多様化し、働き手のフリーランス化が常態となって、外国人労働者なども増え続けていけば、普通に考えて役所の仕事は増えていくばかりですから、これ以上「もっと安く、もっと働け」と言うのは、役所を率先してブラック化させてしまうことになって、むしろ事態を悪くするはずなんです。

──先日、覚醒剤所持で逮捕された経済産業省官僚の裁判がありましたけれども、供述を聞くと、かなり厳しい労働環境にあって、そこからこぼれ落ちまいとするために覚醒剤を使って無理矢理出勤していたらしいです。どこまで信憑性のある証言なのかはわかりませんが、同時期に厚生労働省の若手が発表した省内の勤務状況に関するレポートからも、労働環境としては似たようなものだったことが伺われますので、だいぶ深刻ですね。76頁・コラム13

わたしたちが理解しておくべきは、現状の官僚システムというのは、そもそもがとても古い時代につくられたOSであるということだと思うんです。

──どういうことでしょう。

いまの官僚機構も行政サービスも、工業社会のモデルに沿うかたちでつくられているということです。工業社会というのは、いまでは多少違ってきてはいますが、基本的には「同じものを大量につくる」という原理なんです。たとえば「T型フォード」という自動車をたくさんつくる。本当はユーザーは「もうちょっとここがこうなってるといいのにな」とか「ここがこうなってるのはありえない」とか思ったりもするはずなんですけど、ほかに選択肢がないので、その画一的な製品を受け入れるしかありません。一方で、同じものを大量につくることで原価を下げることができますので、結果としてより多くの人の手に届く価格で製品やサービスを提供できるようになりもするわけです。

──はい。

Column 4

地方政府のプラットフォーム化
未来の行政府の存在意義はどこにある?

『日本の地方政府 1700自治体の実態と課題』(中公新書)において、行政学・現代日本政治を専門とする曽我謙悟は、日本の公共サービスのあり方の歴史を、こう概括している。

「世界的に見れば、一九九〇年代まで、これらの公共サービスや公益事業は、行政がほぼ一手に担ってきた。それが二〇〇〇年代以降、民間企業やNPOが担うほか、後述するPFI(Private Finance Initiative)をはじめとする種々の官民協働方式が登場して大きく様変わりした。
日本の地方政府は、住民や民間企業がサービス提供を担う割合が、中央政府に比べても、他国に比べてももともと高かった。(中略)
日本の地方政府は、公務員数に比して多くの業務を抱えているため、民間への委託や第三セクターが早くから発達した。公共事業についても、電気とガスは民間事業者によって提供されてきた。
それでも、民間部門を通じたサービスの提供という世界的潮流は、一九九〇年代以降、日本にも影響を与える。それは二つの点にまとめられる。第一に、NPOや市民社会組織(CSO:Civil Society Organization)のように公共サービスの供給を専門的に担う民間部門の登場。第二に、官民の二分論からすると民間に開放できなかった領域への、民間委託の進展である」

こうした潮流によって、日本でもNPOの重要性は、とりわけ行政府職員の間では認識されつつある。NPOとの協働事業は市民満足度も高く、行政府にオープンさをもたらすと評価もされるようになったと曽我は書く。一方で、「ボランティアやNPOに参加する人は増えているが、人々は、それが政策や社会のあり方を変えるとは認識していない。社会貢献や自身の経験として重視するにとどまる」とも指摘する。「PFI」や「指定管理者制度」については、佐賀県武雄市の「ツタヤ図書館」の存在が目立った事例として、問題点も多く指摘されるが、「『行政市場』の拡大は、人々が公共サービスに何を求めるかを問い直す機会となる」といった肯定的な意義もある。そうしたなか、曽我は改めてこう問い直す。「公共問題の解決策の策定と政策実施の立場から行政が退くならば、行政の存在意義はどこにあるのか」。

「それは、何が公共問題かという問題設定を行い、その解決に向けて民間部門の協力を引き出すことである。問題設定のうえに解決の道筋を与えるのは、政治家と民間部門だけでは難しく、行政の役割となる。ここに示されるのは、プラットフォームとしての行政という考え方である」

曽我はこうした見通しを踏まえて、サンフランシスコ市で補修に必要な公共施設や道路などをオンラインで市民から募った取り組みや、そうした問題の解決策として市民との協働による「アイデアソン」や「ハッカソン」といったコンテスト形式のイベントが採用されたことなどを紹介している。ここ日本においても、「地域経済分析システム」(RESAS)が、経済、人口、産業、観光、医療にまつわる官民ビッグデータを可視化するためにAPIとして公開され、そのAPIをもとに地域の課題を解決するアプリケーションを開発することが可能になっていることを明かし、「プラットフォームとしての行政府」の一例としている。

References

『日本の地方政府ー1700自治体の実態と課題』曽我謙悟
http://www.chuko.co.jp/shinsho/2019/04/102537.html

行政サービスというものも、これと同じ考えで設計されています。学校の給食がいい例かもしれません。同じものを大量につくるからこそ、低いコストで食事を提供できるわけで、コストが低いからこそあまねく国民に行き渡らせることができる。要は配給制なんですね、考え方が。

――なるほど。そこでは地方行政府というのは、そうしたサービスを隅々にまで配給するための支店みたいなものなんですね。

本来は地域の実情に合わせて自主的に運営されるべくつくられたのですが、実態としては、国から委託された事務が多かったり、人数不足から自主的な活動ができなくなってもいます。加えて、時代を経て暮らしの多様化が進んでいきますと、給食の例でいえば「鯖アレルギーです」「寿司を食べたい」とか「ニンジンはキライだ」といった要求も出てきますし、といった声も無視できなくなってきます。これまでの配給制では対応できませんし、そうなると困ったことになってしまうわけです。個々の生徒に合わせてレストランのようにメニューを用意していたらコストが跳ね上がってしまいます。

――昔だったら、「我慢して食え」の一言で済んだかもしれませんが、いまはそうはいきませんよね。

食事にありつけない子どもがたくさんいる状況のなかで、せめて学校給食はみんなが平等に食べられるようにするためには、配給というやり方はとても合理的だったはずなんです。そうした状況においては、たとえ給食が美味しくなくても「みんなで我慢しよう」という合意は得やすかったのかもしれません。でも、いまのように多様化した教室

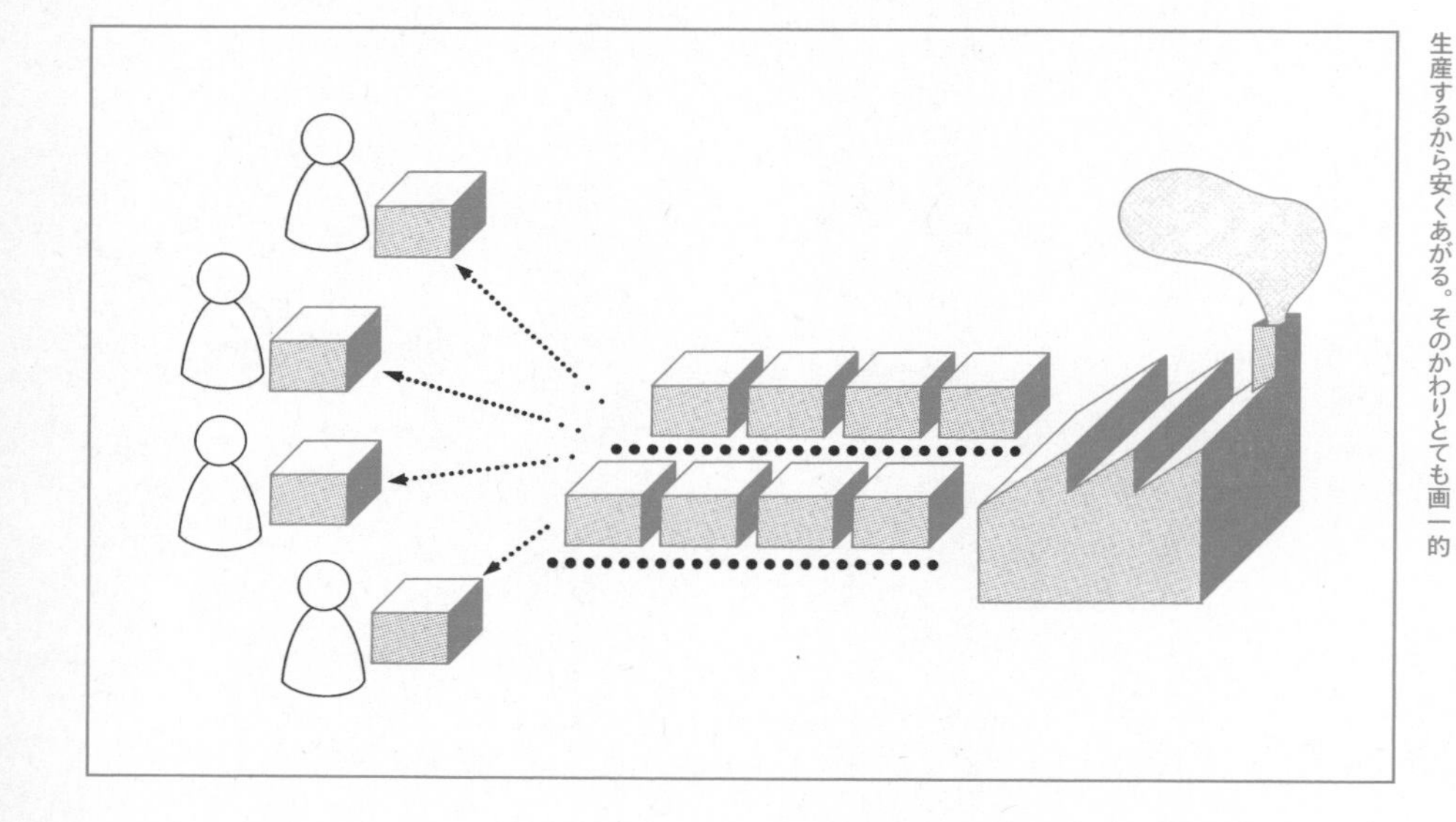

〈これまでの行政サービスは工業製品〉
これまでの行政サービスは、トップダウンで支給される「配給品」。大量生産するから安くあがる。そのかわりとても画一的

には、アレルギーや宗教上の理由から特定の食材が食べられない子だっているでしょうし、嫌いなものを強制するのが教育上良いのかという声だってありますから、もはや配給制の画一化した食事を提供することは困難になります。「それなら各家庭で好きなものをもたせればいいじゃん」という声も上がりそうですが、そうすると今度は、すでに小学生のうち七人に一人が貧困層だということが言われていますから、昼食にありつけない子どもたちが出てきて、全員に行き渡らせるという当初の理念が実現しなくなってしまいます。

——たしかに。難しいですね。

「身の丈」とライフイベント

とくに海外の先進国には、いま言ったような多様化に行政サービスが追いついていないという危機感は強くあるんです。いままでの「配給モデル」って、基本はサービスを受ける側が供給する側の都合や理屈に合わせるしかなかったんです。コストや効率を考えると画一化したサービスしか提供できないわけですから。ところが、もうそんな時代じゃないですよね。自分の人生は自己決定するんだという「自己主権」や「当事者主権」という考え方が優勢になってきていますし、自己責任というものをこちら側に押し付けるような政策やガバナンスのやり方を採用するのであればなおさら、そこにはセットで「自己決定」のための選択肢の幅や多様性が同時に担保されなくてはなりません。

——サービスは画一的なまま効率化、それがいやなら自己責任でどうぞご自由にドロップアウトしてください、では困りますね。

二〇一九年に、大学入試の英語試験の民間委託をめぐって大きな議論がありました。そのなかで「身の丈にあった受験を」というような発言について一般の方の面白いコメントをSNSで見ました。「身の丈に合わせるのは学生さんではな

Column 5

デジタル空間に「公共」をつくる

21世紀の「インフラ」とその構造

インフラ整備は、いまも昔も変わらず「国」の大事な仕事だ。それは国民全員に共通して必要な「財」を、みんなの生活の基盤としてきちんと整備することを目的としている。近代国家のみならず古代エジプトや中国、はたまたローマ帝国の時代から、橋や道路の整備、灌漑・治水といった事業は、国の根幹をなす重大な仕事だった。とはいえ、いわゆる物理的な構造物だけがインフラというわけではない。戸籍の整備であったり、物事を測る単位を統一する度量衡、さまざまな取引におけるルールを取り決めることも重要なインフラ整備事業となる。そうした整備事業を通して流通や産業を推進し、人びとの豊かさを目指したデジタル社会以前の「インフラ」は、橋や道路のような「ハードインフラ」と戸籍や住所などの「ソフトインフラ」のふたつに大別できたが、デジタル社会におけるインフラはもう少し複雑なものとなる。

デジタル以前のインフラ	
	［ハードインフラ］ 道路、橋、灌漑設備など ［ソフトインフラ］ 戸籍、住所、度量衡など

デジタル以後のインフラ	
	［リアルインフラ］光ファイバー、電波基地局など ［デジタルとリアルをつなぐインフラ］ 生体認証ID、銀行口座、スマートフォンなど ［デジタルインフラ］決済、本人確認、電子署名、電子書類など ［デジタル規格インフラ］アーキテクチャ・APIなど ［デジタルルールインフラ］個人情報保護法、GDPRなどの法整備

こうした観点から、今後の行政府はこれらのインフラをどのような全体図のなかでどう構造化していくか、その設計図を描いていくことが求められるが、大まかな方向としては以下のようなものとなる。

さまざまなデジタルサービス

デジタルインフラ
決済・本人確認・電子署名 etc.

デジタルとリアルをつなぐインフラ
生体認証ID・銀行口座・スマートフォン etc.

リアルインフラ
光ファイバー・電波基地局 etc.

デジタル規格・ルールインフラ

デジタル世界 / リアル世界

デジタル世界におけるこうしたインフラ整備を通して、国民全員をデジタルネットワークにつなぎひとつの仕組みのなかに包摂することで、以下のような役割を果たすことができるようになる。社会インフラ整備を含めた今後の行政府のあり方をまとめるとこうなるだろう。

	【社会インフラの提供】	【サービスの供給】	【コミュニティの再構築】
これまで	ハード・ソフト公共財の整備 道路・橋梁・電力・戸籍・住所など	徴収した税金により供給（中央集権的） 直接給付、民間への補填・供給義務を課す	国家、地域、家族などのコミュニティ 所属メンバーが決定され、それ以外は排除
これから	デジタル公共財の整備 ネットワーク、端末、デジタルID、APIなど	みんなで主体的に供給（PtoP） 誰もが参加しやすい仕組みや信頼性をつくる仕組みを提供	共感をベースにしたコミュニティ みんなが参加可能なものに。インクルージョン

References
「21世紀の『公共』の設計図」（経済産業省 商務情報政策局 総務課・情報プロジェクト室）
https://www.meti.go.jp/press/2019/08/20190806002/20190806002-2.pdf

くて、むしろ大学のほうだろう。大学の側が自分たちが欲しい学生に合わせて、それぞれが身の丈に合った入試を採用すればいい」というものだったのですが、この発想って、たしかにその通りだよなと思います。

——つまり受験生の多様性を抑圧するのではなく、サービス供給側がそれに見合うような多様性や弾力性をもつようにしなくてはいけない、ということですよね。

そうなんです。これは必ずしも試験の民間委託が悪いという話ではないと思うんです。大学側のコストを下げつつ、受験生にとってもより柔軟な試験ができることを本来は目指したいわけですよね。それを実現するために、まずは大学の側により幅広い選択肢をもたせるべきだという意見はまさにその通りだと思うんです。「民間か」「行政か」ではなく、ここでは「サービスの画一性」を問題にしないといけないんだと思います。

——なるほど。

別の事例ですが、先日とあるイベントでこんな話を聞いたんです。それは女性の働き方に関する議論だったのですが、登壇されていた女性が、自分がキャリアを積んでいくなかでどのタイミングで子どもを産むのがいいかを悩んでいて、そのことを女性上司に相談したら「出産に『いいタイミング』なんてあるわけないじゃない」と言われてとても気が楽になったというお話でした。登壇されていた女性の悩みは、まさに個人の人生を会社や仕事のシステムに合わせなくてはならないという考えから来ているもので、本来はひとりひとり個別でしかない人生の固有性をいかに画一化していくことでこれまでの社会が取り回されていたかを象徴的に表しているように思います。

——出産もそうでしょうし、恋愛ですら「いいタイミング」なんてないですもんね。来るときには来るてなものですよね。あるいは事故や自分も含めた人の死なんていうのもそうですよね。それは突然やってきて人生を大きく変えてしまいます。

そして、そうした突発的な出来事によって突然システムからドロップアウトせざるをえないのが、これまでの制度のあり方です。それを逆転させないといけないというのが、大きく言えばこれからのガバメントの理念だと思うんです。

――なるほど。最近は、とりわけ「〇〇ファースト」という言い方が流行りですけど、そこには供給する側の都合やエゴに寄り添いすぎた企画やサービスに対する強い不信と反発が感じられます。

「当事者を中心に物事を考える」ということですよね。これは、かなり大きな発想転換だと思いますし、行政府のみならずあらゆる企業がその転換の重大さを過小評価してはいけないと思います。とくに日本では働き手の多くが供給側の言語で思考し話すことしかできなくなっていますので。企業の方に「プロジェクトのミッションをサービス受益者を主語にして考えてください」ってお願いして考えてもらうことを最近よくやるのですが、これができないんですね。

――どういうことでしょう?

難しい話じゃないんです。あるサービスを通じてサービス受益者にどういう変化がおきるのかを考えてくださいということなんです。たとえば、「給食を通じてクラスのみんなが仲良くなる」と言えば、ここでの主語は「クラスのみんな」じゃないですか。ところが企業の人たちはほとんどが「クラスのみんなが仲良くなる給食を提供する」と言ってしまうんですね。

――微妙な違いですね。

でも大きな違いなんです。というのも、主語が変わることによって目的が「仲良くなる」から「提供する」に変わってしまうからなんです。気づかぬうちに「提供する」ことが目的化してしまうのはよくあることなんです。

——ははあ。なんとなくわかります。そうした反省からきっと「人間中心」みたいな言い方も出てくるんですかね。

そうですね。ただ「人間中心の設計をします」と言ってる時点で、すでに「オマエが主語じゃんか」となってしまうことに注意しないと、結局は「自分たちが考えた『人間中心のサービス』に合わせてください」になっちゃうんです。

——あはは。難しいスね。

難しいんです。ただ最近は、どんな事業でも「インパクト」が大事と言われています。その事業を通じて、社会や人がどう変わったのか、どう良くなったのかを評価指標とするようになってきているんです。「オマエが何をやるのかはいいから、それを通じて何が変わるのかを言え」と、そういうふうになっています。これも、いま言ったのと同じで、「主語はオマエじゃない」という考え方ですね。

——なるほど。たしかに、それと「〇〇ファースト」は根っこが同じ考え方ですね。

話を「人生」に戻しますと、海外のビジネスマンや行政に関わる人はよく「ライフイベント」ということばを使うんです。結婚や出産、引越し、転職、入学、卒業、介護といったさまざまなライフイベント、つまり人生の出来事を、公的な制度や民間も含めたサービスが、いかに柔軟にサポートしていくことができるかがとても大事にされているんです。真ん中に置かれるべきはシステムやサービス供給側の論理ではなく、あくまでも受益者の人生なんだという強固な信念がこれからの社会OSを考える上でとても重視されているんです。

——本来ならみんながよりよく生きるためにシステムやサービスがあるはずなのに、なんだかシステムやサービスを生かすためにみんなの人生が使われているように感じることがありますね。映画『マトリックス』の、あの感じです。

主客をめぐる一八〇度の転換がここにはあるんです。もちろん、そんな大きな転換は、すぐには実現しないと思いますし、「理念は立派だが現実は甘くない、お花畑みたいなこと言うな」と思われる方も多いかと思うんですが、とはいえ、そうした理念を旗印に社会システムをアップデートしなくてはならないという方向で世界はもう動き始めていて、試行錯誤を重ねるなかで前に進んでいるのは事実です。いまの仕組みのなかでとぐろを巻いていても、自分たちの首がどんどん締まっていくだけですから。

――課題の大きさがちょっとわかってきました。

ですから、これからの行政府や公共サービスのあり方は「大きい政府」のそれでもなく「小さい政府」のそれでもない、「サービスは極大」だけれど、それを運営する「行政府は極小」ということを目指さなくてはならないというのがこれまでの道筋から考えていくと論理的な帰結になるんじゃないかと思うんです。ここでいう「サービスは極大」っていうのは「困っている人」は排除しないということで、いま流行りのことばでいうと「インクルージョン」(包摂)です。

インクルージョンというゴール

――インクルージョン?

「困ってる人はみんな助けたい」というのが根本にある願いなわけですから、できるだけ優先順位をつけることなく、しかも財源がないなかでどうしたら困っている人たちをより多く助けることができるのか。これが課題です。いままでの「大きい政府」のやり方も、「小さい政府」のやり方も、結局はどこかで誰かを排除してしまっていたわけです。それをなくしたいんですね。

Column 6

マックス・ウェーバーによる「官僚制」
近代官僚制に特殊な6つの機能様式

デンマークデザインセンター CEOのクリスチャン・ベイソンは、その著書『Leading Public Design-Discovering Human-Centred Governance』の第4章「In search of the next governance model」（新しいガバナンスモデルを探して）を、デンマークのとある社会学者の言葉ではじめている。「官僚組織の死を宣告するのは、見当違いであるだけでなく、極めて早とちりである」。というわけで、古典的な官僚組織（OS）の内実を、改めて知っておくことは重要だ。

マックス・ウェーバーが記した「官僚制」の6つの特徴は以下だ。『権力と支配』（講談社学術文庫）の第二部「官僚制」で「近代官僚制に特殊な機能様式は、つぎの諸点にあらわれている」と記している。

1. 規則、つまり法規または行政規則によって、一般的に系統づけられた明確な官庁的権限の原則が存在する
2. 官職階層制および審級制の原則、つまり、上級官庁による下級官庁の監督をともないながら、官庁相互の関係が明確に系統づけられた上下関係の体系がある
3. 近代的な職務執行は、原本あるいは草案のまま保管される書類（文書）にもとづき、また各種の下僚や書記のスタッフにもとづいている
4. 職務活動、すくなくとも一切の専門的職務活動——これは近代特有のものであるが——は、通常、徹底した専門的訓練を前提としている
5. 職務が完全に発達をとげると、職務上の活動は、官僚の全労働力を要求するようになる
6. 官僚の職務執行は、一般的な規則、つまり、多少とも明確かつ遺漏のない、習得可能な規則にしたがっておこなわれる

ベイソンは自著のなかで、ウェーバーが定式化した「官僚機構」の特質を、下記のようにまとめ直している。

1. 分業｜権限と責任の所在が明確にわかるように業務が分割される
2. ヒエラルキー｜権限の大きさに従って組織や役職が序列化される
3. 選抜｜すべての雇用者が公的な試験を通じて技術的に適任者として選抜される
4. キャリア｜給与が固定され、選ばれた専門領域のなかでキャリアを積む
5. ルール｜公的なルールに従って働く
6. 非個性｜ルールやあらゆる指示は非個性的であり、あらゆる局面において画一性が要求される

さらにこうした特徴が、以下の4つの価値を社会にもたらすと語る。これらの価値は、資本主義社会を運用していく上でも不可欠とされる。

- **効率性**
- **予測可能性と信頼性**
- **手続き上の公正**
- **平等とデモクラシー**

References

『権力と支配』マックス・ウェーバー
http://bookclub.kodansha.co.jp/product?item=0000211571

──「身の丈」をめぐる議論でまさに問題にされたところですね。

「身の丈」を、自分のものとして言うのはいいんです。自分が生きたいように生きることができる、自分の人生を自己主権において生きることができるということがインクルージョンの目指していることですから。問題はシステムやサービスが勝手に人を選別して、それぞれの「身の丈」を外部から規定してしまうところにあります。「インクルージョン」は国連が掲げる「SDGs」のターゲットのひとつにもなっていますけれど、いままでの行政や経済の仕組みからあぶれちゃっている人たちをなんとかしましょうという話と学校の給食や入学試験の問題は、行政府あるいは公共をめぐるイノベーションという課題を通して一直線でつながっているんです。それをつなぐゴールとして「インクルージョン」というターゲットがあるんです。

──でかいですね、話が。

大変なことですよね。右寄りの政権であろうが左寄りの政権であろうが、みんなが使っていたOSは、いままでお話ししてきた配給モデルをベースにしたシステムで、それを全面的にアップデートしなきゃいけないわけですから、これはもうただならぬおおごとです。わたしは以前、デンマーク政府内で「行政イノベーション」を担当している方とお会いしたことがありますけど本当に涙目でした。「とにかくこれをやらないと国民に背くことになる」って。

──悲壮感ありますね。

実感としてそうなんだろうと思うんです。もちろん日本の行政府にも相当悲壮感はあると思います。ただ、それは自らどんどんブラック化していくひたすら墓穴を掘るような悲壮感であって、そこを掘るだけでは苦しいばかりだと思うんです。ですから本当はもっとちゃんとゴールを設定しないとダメだと思うんです。

――そのゴールがさっきおっしゃった「小さくて大きい政府」ってことになるわけですか。

いえ。「どういう行政府をつくるか」はあくまでもアウトプットですから、ゴールはむしろ「誰も排除されることのない社会」「誰もが自分の生きたい人生を生きられる社会」のほうだと思います。それを実現するためのツールとして、「小さくて大きい政府」というOSが必要になるという順番です。何かやりたいことがあるからパソコンやOSが必要になるわけで、OSづくりそのものがゴールになってしまったら何の意味もありません。

――そうですね。しかし果たしてそんな社会はつくれるんでしょうか？

簡単だとは思いませんが可能性はあるんじゃないかと考えたいところです。

――その可能性を支えているのは何なんでしょう。

もちろん全面的に支持するわけではないのですが、鍵になるのはやはりデジタルテクノロジーなんだと思います。

――あ、そうなんですね。

ITガバメントをつくる

簡単に言ってしまえばITテクノロジーというのは、ミニマムなコストや人員で極大のサービスを提供することを滅法得意としているわけです。フェイスブックなんて二万人ほどの社員しかいない会社なのに一五億人が使うプラットフォームを制作し運営しています。一方、日本には公務員が地方だけで二〇〇万人以上います。それを多いと見るか、少ないと

Column 7

ウェーバー的官僚制の問題点

それを反転させると行政府の未来が見える?

クリスチャン・ベイソンの著書『Leading Public Design: Discovering Human-Centred Governance』によると、ウェーバーが定式化した官僚制度は限界があらわになっている。その限界はどのようなかたちで現れているか。ベイソンはこう概略する。

官僚的なガバメントモデルは、

1. イノベーションを起こすには内部障壁や規制が多すぎる
2. 通常の市場競争にさらされないため、価格や価値に多様性がない
3. そのせいで公共事業の成否をきちんと計測・評価することができない
4. 長期的戦略を実施することができない
5. 階層的な組織構成のため、IT技術の特性を十全に活かせない
6. 働いている人たちが画一的すぎる(ダイバーシティの欠如)

ベイソンは、現状の行政府の仕組みは官僚主義を継承することによって4つの大きな価値を生み出してきたが、次世代のそれは、それらの価値を別の価値によって置き換えなくてはならないとする。

これまでの政府	次世代政府
効率性	適応性・柔軟性
予測可能性	臨機応変さ
静的	動的
大量供給	個別供給

また、ウェーバー型官僚組織の特徴を反転させると、新しい行政府の姿が仮説として浮かび上がってくることにもなる。

1. 分業 → 横断性:各種のプレイヤー間の利害や欲求を調整する役割
2. ヒエラルキー → 対等性・水平性:プレイヤーを仲裁しモデレートする役割
3. 選抜 → 主体性と共感性:技術的資格ではなく課題や市民に対するコミットが資格となる
4. キャリア → ある領域を垂直的に窮めるのではなく、領域横断的・水平的にキャリアを構築
5. ルール → 柔軟かつ臨機応変なルールメイキングを実現する主体
6. 非個性 → 地域・自治体の特性に見あった組織づくりや人員構成。人の個性が行政府の個性に

References

"Leading Public Design Discovering Human-Centred Governance" Christian Bason
https://policy.bristoluniversitypress.co.uk/leading-public-design

見るかはさまざまだと思いますが、ピーク時より五〇万人以上減っているといいますし、市民のニーズの多様化を考慮すると、間違いなく人手が足りていない状況です。人手が足りていないとはいえ、いまから改めて公務員を増やしていくというのも、コストを考えると難しい。となると、少なくともいまいる人手でどれだけ効率よく、さらに増えていく仕事をこなすかということを考えなくてはなりません。そこで、AIなども含めたIT技術を行政府のバックオフィスにもサービスにも全面的に導入していくことで、「小さいけれども大きくサービスを展開できる行政府」を実現しよう、とするのが次世代政府というものの考え方なのかなと思います。

──なるほど。

ケンブリッジ・アナリティカの事件を契機に巨大テック企業によるプラットフォーム独占はいかがなものかという声が強く湧き起こりました。そのなかで「グーグルやフェイスブックのやっていることは本来だったら行政府がやるべきことだったんじゃないか」という声があったのが強く印象に残っています。

──どういうことでしょう。

デイヴ・エガーズという小説家が書いた『ザ・サークル』という小説があります。トム・ハンクスとエマ・ワトソンの主演で映画にもなったのでご存じの方も多いかもしれませんが、これはアップルとグーグルとフェイスブックを足したようなSNS企業「サークル」が舞台になっていまして、このSNSは国民のほぼ全員が使っているような巨大プラットフォームなんです。あるシーンで、選挙に関する議論がありまして、サ

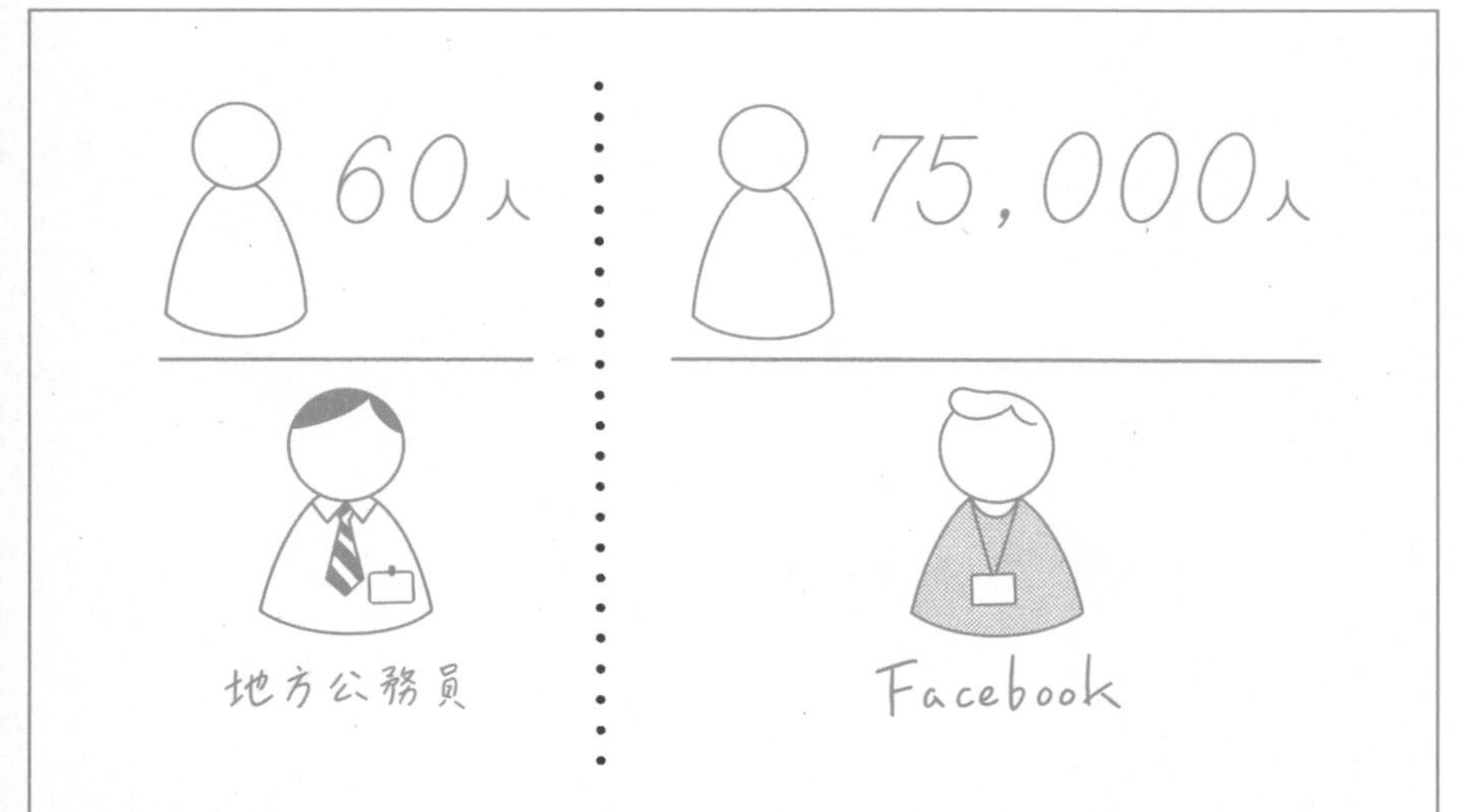

〈デジタルビジネスの効率とスケール〉
IT技術は少ない人数で、たくさんの人に、使う人に合った個別のサービスを届けることができる。いつでもどこからでもサービスにアクセスできる

ークルのアカウントを使って投票をできるようにしたら投票率を劇的に改善することができるのではないかという意見が出てくるんです。

——日本でもＬＩＮＥを使って投票できたら、たしかに投票率は上がりそうです。

ですよね。ただそこでの問題は、そのプラットフォームを提供しているのが私企業であることです。でも、これがもし行政府が提供するプラットフォームだったら現実味のある話にならないでしょうか。もちろん民間が担おうが行政府が担おうが、プライバシーの問題は必ず出てきてしまうのですが、これは後ほど議論するとして、ＳＮＳをこういうかたちで行政サービスとして使うことができたら、いろいろなことができるような気はしますよね。

——行政のコミュニケーションアプリを通じていろんなお知らせが届いたりしたら回覧板とか要らなくなりますね。

それを使って投票ができたり納税ができたり、引越しの届出をしたり、家やクルマを購入したときの手続きをしたり、役所に意見を言ったり、自分が受けられそうな税制の優遇や福祉サービスのお知らせがプッシュ通知で届いたりといったことができたら、わたしたち市民の手間は格段に減りますし、そうした業務をデジタルテクノロジーを用いることで自動化できるようになったら、それだけで役所の仕事の内容は劇的に変わることになると思うんです。フェイスブックやグーグルは、みんなが意見交換をしたり共同で利用できる基盤となる、普通ではもうからない公共財をつくったわけです。行政がやるべきだったというのはそういう意味なんです。

プラットフォームとしてのガバメント

——プラットフォームとして行政が機能するというわけですね。

無理にプラットフォームと言わなくても、インフラストラクチャーという言い方でもいいのかもしれません。近代国家として国をつくりあげていくなかで、政府は産業を促進するために、さまざまなインフラをつくりあげました。まず水道ですよね。それから電気やガスといったエネルギー網、さらに道路や鉄道といった交通・物流網、あとは電話やラジオ・テレビのための電信・電波といった情報通信網などです。これは、みんなの生活やあらゆるビジネスに必要不可欠な要件です。その「みんなに共通して必要」な基盤となる設備を国が用意してみんなをそこに乗せてあげるわけです。もうわたしたちの生活もビジネスも大きくデジタルにシフトして、それが実質上のライフラインになってしまっているわけですからデジタル空間のなかに公共性の高いインフラの構築が必要になってきているということなんだと思います。44頁・コラム5

──インターネットが使えるように通信網を整備したら、それでおしまい、というわけにはいかないんですね。

もちろんみんながインターネットを使えるようにするためのインフラ整備は必要不可欠なことですが、それだけでは済みません。始皇帝やアウグストゥスの時代から国は道路をつくり、治水をしたり、さまざまな取引をしやすくするためにものを測る単位、つまり「度量衡」を整備し、取引の際のルールをつくったと言われています。いま考えなくてはいけないのはデジタルの世界においてそれに類するインフラは何かということです。

──それはなんでしょう。

結論を先に言ってしまうようですが、「通信インフラ＝光ファイバー」「リアルとバーチャルをつなぐインフラ＝生体認証ID・銀行口座・スマートフォン」「バーチャルなデジタルインフラ＝決済・デジタル本人確認」「度量衡API」「データなどに関する規格やルール」といったあたりになります。これらがなぜ必要かといえば、良い説明かどうかはわかりませんが、いまのインターネット空間は言ってみれば私道しかない空間なんです。ですから、どこに行くにも通行するための認証を求められますし、お金を取られたり場合によっては知らない間に自分の資産、つまりはデータを取られたりもします。ですから、本当はそこにちゃんと公道をつくってあげる必要があるんじゃないかというのが「ガバナンスイノベーション」と言われるものの大きな論点のひとつです。より安全かつ迅速にデリケートな情報やお金や資産などを動かすことができるような「インフラ」が必要なんです。

——それはいわゆるデジタル政府というものと関係があるんでしょうか。

もちろんです。そうしたインフラを整備することは、すなわち行政府自体をデジタル化することでもあるわけですし、行政府自体のデジタル化が進まない限りは、こうしたインフラをつくることもできません。「ガバナンスイノベーション」ということばには「ガバナンスをイノベーションする」と「ガバナンスでイノベーションをもたらす」のふたつの意味があります。それはコインの表裏なんです。いまお話ししたのは「ガバナンスでイノベーションをもたらす」ためのインフラの話ですがそれを実行しようと思ったら行政府内部のシステムも当然変えざるを得ません。くり返しになりますが、いくらキャッシュレスを推進したところで毎日使っている決済サービスで納税できないのでは、意味がないんですね。

——そうですね。

本来的にはインターネットによってひとつながりのサービスになるはずのものが途中で切れてしまっているのが現状なんです。行政府と民間がデジタル空間内で分離してしまっているんです。これをきちんとつなげるためのインフラが必要なんですが、これは民間企業ではなく、やはり行政府がつくるべきものだと思います。

〈デジタル空間に公道をつくる〉
デジタル空間は、いわばすべてが私有地。どこに行くにもお金を取られたり、個人データを取られたりする

Column 8

パブリックガバナンスの3つのフェーズ
それは進化しながら融合する

クリスチャン・ベイソンはパブリックガバナンスの歴史を、3つのパラダイムとして整理する。ウェーバー型の「伝統的公的管理」(Traditional Public Administration)、1990年代に勃興する「新しい公的マネージメント」(New Public Management)、そして新しいモデル「ネットワークガバナンス」(Networked Governance)の3つだ。最初のが俗に「大きい政府」のモデルと言われるもの、ついで「小さい政府」、そして3つ目が、来たるべきモデルとなる。それぞれの特徴を整理すると以下となる。

	TPA	NPM	NG
状況	安定的	競争的	継続的変化
市民のありよう	画一的	核化	ダイバース
ニーズ・課題	直裁的・プロ化された課題	ウォンツ・市場を通して表現	複雑・変わりやすい・リスク
戦略	国や供給者中心	市場・消費者中心	市民社会による形成
アクターたち	ヒエラルキー・ パブリックサーバント	マーケット・購入者と 供給者・クライアントと コントラクター	ネットワークと パートナーシップ、 シビックリーダーシップ
キーコンセプト	パブリックグッズ	パブリックチョイス	パブリックバリュー

source: Benington and Hartley (2001)

もっとも、ベイソンは、こうした3つの段階が順を追ってやってくるとは考えない。3つのモデルは、ハイブリッド/ミックスされたかたちで実装されていく。最新モデル「Networked Governance」についても、明確なモデルが存在しているわけではないと注意する。いくつかのモデルが研究者などから提唱されており、代表例としては以下がある。

・Digital-Era Governance(デジタル時代ガバナンス)

デジタルテクノロジーによってもたらされた可能性を最大化するガバナンス形態。コストのラジカルな圧縮、バックオフィス機能の再エンジニアリング、調達の集中、ワンストップの支給、アジャイルな行政プロセスなどによって特徴づけられる。

・Public Value Management(パブリック・バリュー・マネジメント)

先行するNew Public Managementと比べると、関係性に比重が置かれ、複数の目標設定や複数の責任主体が置かれる。また政策は「プラグマティックに選ばれたオルタナティブな手法のメニュー」を通じて適材適所の主体によって実践される。

・Collaborative Governance(コラボラティブ・ガバナンス)

中心的なコンセプトをなすのは、ネットワークとコラボレーション、パブリック・プライベート・パートナーシップ、そして市民のエンゲージメントを促す新しい方法論。新しい協働のあり方を模索する上では、リスクシェアと資源の有効活用が重要なテーマとなる。

References
"Leading Public Design Discovering Human-Centred Governance" Christian Bason
https://policy.bristoluniversitypress.co.uk/leading-public-design

デジタルＩＤというインフラ

――デジタル空間内におけるインフラについて具体的に教えてもらえますか。

まずはＩＤのお話しをしましょうか。

――ＩＤというのは？

デジタル空間のなかで「自分は自分である」ということを認証してもらうための、いわば、戸籍や住民票みたいなものですね。

――それがどうして必要なんでしょう？

たとえば、税金を払ったりなんらかの補助金を受け取ることをオンラインでやろうと思ったら、それを払ったり受け取ったりしているのが「たしかにわたしである」ということが証明できないとですよね。あるいは雇用契約でも賃貸契約でもいいんですが、契約をするときって住民票とか戸籍謄本とかが必要になったりするじゃないですか。そうしたものをオンラインで取り寄せたりやりとりしようと思ったら、本人確認のための身分証明が必要になります。現状の日本ですと、まずそのＩＤがきちんと統一されていないのでデジタル空間内で公的な身分証明を行うことができないんです。

――言われてみれば、なんらかのサービスにログインするときの自分のＩＤって現状だとほとんどの場合メールアドレスですね。

おっしゃる通り、メールアドレスが「戸籍」の役割を果たしているわけです。けれどもそのメールアドレスの向こうにいるのが誰なのかというのは特定できませんし、公的なIDというのは複数あってはいけないものでもありますので、メアドはどうしたって公的なIDにはなりません。もしかしたらまだ電話番号のほうが本人に近いかもしれませんが、電話番号は細かく言うとあなた自身ではなくあなたの電話、もしくはSIMカードにひもづいていますから、これもあなた自身の本人確認の材料にはならないんですね。

――困りましたね。

たとえばエストニアではマイナンバーに類する番号が国民全員に割り当てられていて、かつ個別のICチップを埋め込んだカードとそれを読み込むための機器が国民全員に配られていますので、それを用いて、税金を払ったり住所登録をしたり医療データを管理したりと、あらゆる行政サービスをオンライン上で受けたり申告したり確認したりできるようになっています。

――なるほど。マイナンバーって本来そういうものなんですね。

そうなんです。そもそも日本の場合、公的に自己証明を行うのが意外と難しいんです。国際的な自己証明書であるパスポートが一番強力な証明になるかというと現住所が入ってないからという理由で証明機能を果たせないことも多いですし、健康保険証は写真が入っていないのでダメ、運転免許証は比較的どこでも有効ですが全員がもっているわけでもないものですよね。

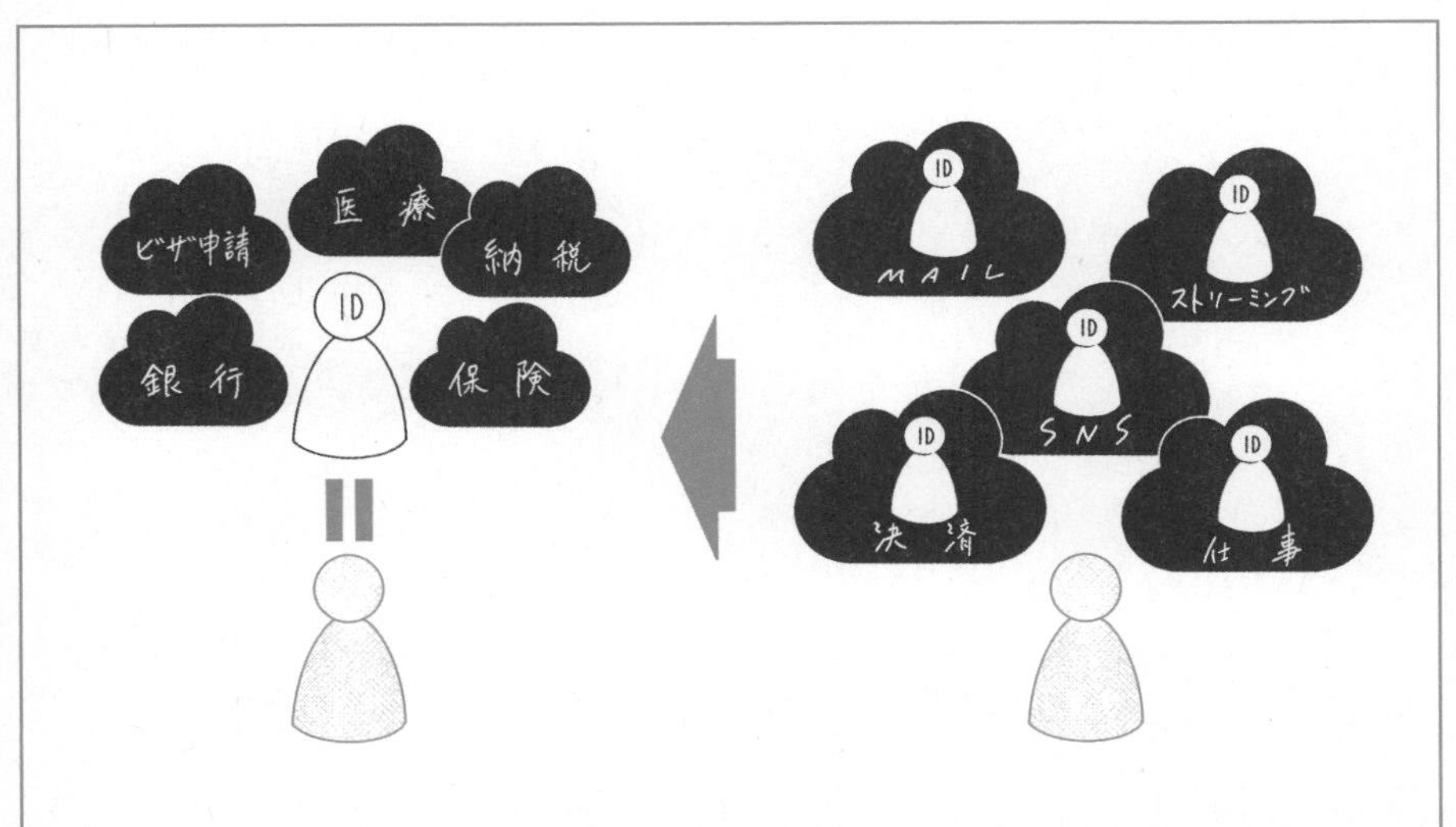

〈リアルとデジタルをつなぐID〉
リアルとデジタルな世界とが一体化していくと、そこを行き来する「わたし」が「わたし」であることを証明する公的な証明書が必要になる

Column 9

パブリックグッズからパブリックバリューへ
近年は民間企業でも指標化されています

「パブリックバリュー」という概念は、1995年にハーバード大学ケネディスクール（公共政策大学院）の教授のマーク・H・ムーアによって提唱された考え方で、市場経済におけるシェアホルダー・バリューに相当する価値を、公共政策の分野においてあてはめたものとされる。現在では、NPOのみならず民間企業のなかでも用いられ、一般的には、ある活動やサービスがどれだけ「Common Good」（公共の善）に貢献したかを見るための指標とされる。

定義としては、アリゾナ州立大学教授のバリー・ボーズマンの1997年の著書『Public Values and Public Interest: Counterbalancing Economic Indivisualism』（公共の価値と公共の利益 ～経済個人主義を相殺する）において記されたものがよく知られ、Wikipediaの項目でもその定義がトップに採用されている。

パブリックバリューとは、

1. 市民が享受すべき（もしくは甘受すべきではない）権利、利益、特権
2. 市民が社会や国家、そして市民同士に対して負う義務
3. 政府や政策がその基礎に置くべき原則をめぐる、規範的なコンセンサスに則って提供されるものである。（意訳）

「パブリックグッズ」（公共財）の提供こそが第一義のミッションだったかつての行政府においては「効率」こそが絶対的な指標だったが、「パブリックバリュー」へと力点が移ることで、行政府のサービスを査定・評価する指標のなかに、「その組織がいかにサービスの向上に向けて自由で新しいアイデアを追うことができたか」という視座が導入される。

ビジネスマンがシェアホルダーバリューをいかに向上したかで査定されるのと同じように、行政スタッフはいかに「パブリックバリュー」を向上したかで査定されるようになった。

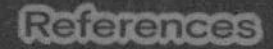

"Recognizing Public Value" Mark H. Moore
https://www.hup.harvard.edu/catalog.php?isbn=9780674066953

――言われてみれば、確固たるＩＤもないのになんとなく社会が回っているのは不思議な感じがしますね。

村社会の名残りなのかもしれませんね。かつての村落共同体ではみんなが顔見知りですから、ＩＤなんかなくても相手が誰だかを知ることができました。言ってみれば「信用」の基盤がしっかりとあったわけです。ところが近代になって市場経済化や都市化が進み、一度も会ったことのない人との取引ばかりになっていきますと本来であればきちんとしたＩＤ制度が必要になってきます。日本では会社というものが長らく「村」の役割を果たして、会社の信用を担保として知らない人との取引ができてきたからそこまで厳密なものが求められなかったのかもしれません。行政府が会社を「村」と見て行政単位として組み込み、そのバックヤードを行政インフラに利用してきたことも、そうした状況を後押ししていたのかもしれません。加えて、同質性の高い社会であると広く信じられてきたことも、しっかりとしたＩＤ制度の必要性を減じさせていたと言えそうです。こうした状態ではオンライン上に公共圏をつくるのは非常に困難です。なにせオンラインの世界は好むと好まざるとにかかわらずどんどん見知らぬ人とつながることができてしまう世界ですから。アフリカや中南米ですと、そもそもＩＤが何もないという人も少なからずいまして、これは人がどんどん流動化しているヨーロッパでも大きな問題となっています。いわゆる難民の問題を受けて、国連食糧機関という組織はあとでお話しするインドのＩＤ制度と同じ発想でＩＤをオンラインで管理できるようにしています。

ネット空間と国家

――かつてインターネットの世界は、リアル世界の自分とはまったく違うペルソナを使って滞在することのできる匿名世界だったじゃないですか。それがそうではなくなっているんですね。

転機になったのはフェイスブックが実名アカウントを導入した二〇一一～一二年でしょうね。そこでインターネット空間はリアル空間と明確に一体化する方向に進んだと言えるかと思います。そこからインターネット空間が本格的に経済空間として編成されるようになっていくのですが、私企業のなすがままにしておいたら独占が進み、はたまたケンブリッジ・アナリティカ事件のようなことが起きてしまいましたので、そこにきちんと国家が介入せざるを得なくなったというのが二〇一六年以降のインターネットをめぐる景色です。最初からインターネットを「国家の領土」として強力にガバナンスしてきたおかげで、そうした問題に煩わされずにいるのは中国くらいでして、その結果いち早く非常に高度なデジタル社会を実現するに至ったというのは皮肉な成り行きではありますが、必然とも言えそうです。

——国家がトップダウンでやらないと、社会OSのアップデートはできない、と。

それが果たして望ましいやり方なのかどうかはわかりませんが、「デジタルトランスフォーメーション」は、お題目として言うのは簡単なのですが、朝起きたら勝手に変容しているというものでもありませんから、当然痛みも伴いますし小さな失敗も避けられないはずです。それなりの覚悟が必要なのだと思います。行政府だけでなく、国民も、民間企業も同様です。

——そう考えると、マイナンバーは、いろんな施策をしてはいるもののだいぶ不発ですね。

マイナンバーを導入することがなぜ必要なのかをきちんと説明もしないまま、うやむやに進めてしまった感は否めませんね。ただ、その導入がもたつけばもたつくだけ行政府のデジタル化は遅れてしまいますし、「小さくて大きい政府」からも遠のいてしまいます。

——それはマズいですね。

マイナンバーの導入にあたってはエストニア政府の方々も日本政府に随分と入れ知恵をしたそうなんですが、そのインフラ基盤をきちんと整備するとどんなふうに社会を変えられるのか、その大きな絵図をもっと理解していかないと、各論の

よし悪しの話で終わってしまいます。それは残念なことです。97頁・コラム18

インドの「マイナンバー」

そんななか、この一〇年で目覚ましい成果をあげたのがインドです。インド政府は二〇〇九年から国民IDである「Aad-haar」（アーダール）をデジタルインフラの基盤として整備することに着手して、現在までに一三億人に対して国民IDを振り終えています。この国民IDは、八桁の数字がひとりひとりに割り当てられているのですが、それぞれの番号と個人とを顔面認証、指紋認証、虹彩認証の三つの認証システムを用いてひもづけしています。89頁・コラム16

――え。それを一三億人分ですか？

そうなんです。やり終えちゃったんです。

――すごいスね。

すごいですよ。このプロジェクトのためにインド政府は、固有識別番号省という省をつくり、インドIT界のドンとでもいうべき、ナンダン・ニレカニという人物を大臣に据えて、相当な腕力をもってこれを推し進めたと言われていますから、なんというか本気度が違いますね。

――そうまでしてインド政府がそれを推し進めたのには、どういった動機があったんでしょう？

インドは人口も多く、民族や言語の面でも経済的なレベルの面でも非常に多様性に富んだ国です。貧しい人も多くいますし、銀行口座をもたない人もたくさんいます。そうしたなかで全国民に向けて平等性の高い福祉サービスや行政サービスを届けることには、長らく大きな困難がありました。たとえば貧しい人に向けて配られていた補助金なども、銀行口座がないわけですから手渡ししないといけなかったわけです。そうすると、そのお金が中央政府から遠く離れた村まで運ばれていく途中で、どこかに消えてなくなっちゃうようなことが頻発してしまいます。

――さもありなんですね。

実際、公的に支払われたそうした補助金の半分が届くべき人に届かないままになっていたそうですが、そのことに行政府はずっと頭を抱えていたんです。ですから、まずはそうした無駄をなくすためにオンラインできちんと処理を完結できるようにしようと考えたのがデジタルＩＤ制度の発端だと聞いています。そのためにインド政府はＩＤをもっていれば誰でも開くことのできる銀行口座も用意しました。いままで消えてなくなっていた巨額の補助金が無駄にならないだけでも投資の価値があるとインド政府は考えたんですね。

――たしかに最初のＩＤを全国民に振るのは大変な労力でしょうけれど、ＩＤの基盤がいったんきちんと整備されてしまえば、以後はかなり効率のよい運用ができそうです。

ここで重要なのが、先ほどお話した「インクルージョン」という論点です。「インクルージョン」というとかく高齢者や障碍者や貧困層の話のように思われがちですが、これは案外身近な話なんです。若者がクレジットカードをつくれなかったり、フリーランサーが家を借りるのが困難だったり、中小企業の審査が厳しすぎて融資をなかなか受けられないとか、そうした「小さい困った」は日本にだってたくさんあるわけです。そうしたことを解決する上で、インドの取り組みは参考にすべきなんです。インドがやったように全国民をひとつのインフラの上に載せることで、「小さくて大きい政府」が可能になっていくわけです。そして、その基盤をいったん整備してしまうと次から次へと新しい「公共財」をつくっていくことが可能になります。

Column 10

余談　BBCのパブリックバリュー
ブロードキャスティングはシビックアートである

英国の公共放送BBCは、特許状更新のために2004年に制作したマニフェストで「パブリックバリュー」の概念を大々的に用いている。マニフェストのタイトルは「Building public value」というタイトルで、冒頭近くにある「The BBC and public value」という章は、以下のようなイカした文章ではじまる。

「ブロードキャスティングはシビックアートです。それは、その志においても効果においても本質的にパブリックなものです。わたしたちはそれを個々人で体験しますが、それは決して私的なやり取りではありません。TVやラジオをつけることは共有空間に踏み入ることであり、常に覚醒し、事実に影響を受けることです。このような共有体験は、それ自体がすでにパブリックバリューを体現しており、人びとをつなぎ合わせるこうした役割を、人は社会資本と呼びもするでしょう」

BBCは、自社がもたらすパブリック・バリューを5つの要素において定義し、その価値を定量的に測定するための項目を3つ設定した。

【BBCのパブリックバリュー】
1. デモクラティック・バリュー　Democratic Value
2. カルチャー＆クリエイティブ・バリュー　Cultural & Creative Value
3. 教育的バリュー　Educational Value
4. ソーシャル＆コミュニティ・バリュー　Social & Community Value
5. グローバル・バリュー　Global Value

【パブリックバリューの査定項目】
1. インディビジュアル・バリュー
   視聴者が一個人としてどのような利得（ベネフィット）を得たか
2. シチズン・バリュー
   一市民として、より良い民主主義に貢献するような知識や情報を得ることができたか
3. エコノミック・バリュー
   BBCのサービスを通じてメディア＆クリエイティブ産業にどのようなインパクトがあったか

References
"Building public value—Renewing the BBC for a digital world"
https://downloads.bbc.co.uk/aboutthebbc/policies/pdf/bpv.pdf

――たとえばどういうものですか？

インド政府がデジタルＩＤというインフラの次につくったのは、社会を「ペーパーレス」にしていくためのインフラです。

――どういうことですか？

社会のなかではいろんな書類がやりとりされますよね？　契約書だったり、請求書だったり、領収書だったり。そうした書類には公的なものもたくさん含まれています。それをデジタル上でやりとりしようと思ったら何が必要になりますか？

――公的な書類だったら実印とかが必要になりますね。

そう、社判や実印が必要ですよね。じゃあデジタル空間内で使える実印や社判をつくろうというのがインド政府の考えたことです。

――ははあ。でも実印ってハンコ屋さんに自分で注文してつくってもらうものですよね。

ですからインド政府がやったのは、みんなの実印をつくってあげることではなく会社や個人が銘々で「公的なデジタル実印＝電子署名」（e-Sign）をつくることのできる「規格」を用意してあげるということです。デジタル用語を使うと、誰でも使うことのできる「ＡＰＩ」を用意して公開したということです。

――オープンＡＰＩというヤツですね。

まさにそうです。オープンＡＰＩとして開放することで、国がいちいち電子署名を個々人に割り当てなくても、それを必要とする人は誰でも自分でそれをつくって使うことができますし、その署名にはさきほど説明したデジタルIDがひもづいていますから、偽造したり他人になりすましたりということも困難になります。

——頭いいですね。

ですよね。こうやってオープンAPIを活用してデジタルインフラをつくっていくことの賢さは、それをつくって社会のなかに実装していくための手間もコストも、これまでのインフラ整備の考え方と比べると格段に低いことなんですね。こうした新しい公共財のあり方を、インド政府の人たちは、「デジタルパブリックグッズ」と呼んでいます。なんのことはない「デジタル公共財」という意味なんですが、「次世代行政府」における「インフラ」というのは、こうした新しいかたちの公共財を意味しています。また、ここで注目すべきはこれらの公共財が、ひとりひとりの市民に向けた「C」向けのインフラを共通の基盤として、その上に「B」向けのものが装備されていくという建て付けになっていることです。「G to C」(ガバメントから市民へ)の上に、「G to B to C」(ガバメントからビジネスへ、そして市民へ)という構造になっているのです。

公共財としてのAPI

——ほかにサンプルはありませんか?

そうですね。インドで言えば、「ペーパーレスのための公共財」として、電子的に本人

〈APIとしてのデジタルインフラ〉
行政府が用意したプログラム=規格を使って、使いたい人が自分で実装する、というのがオープンAPIの考え方

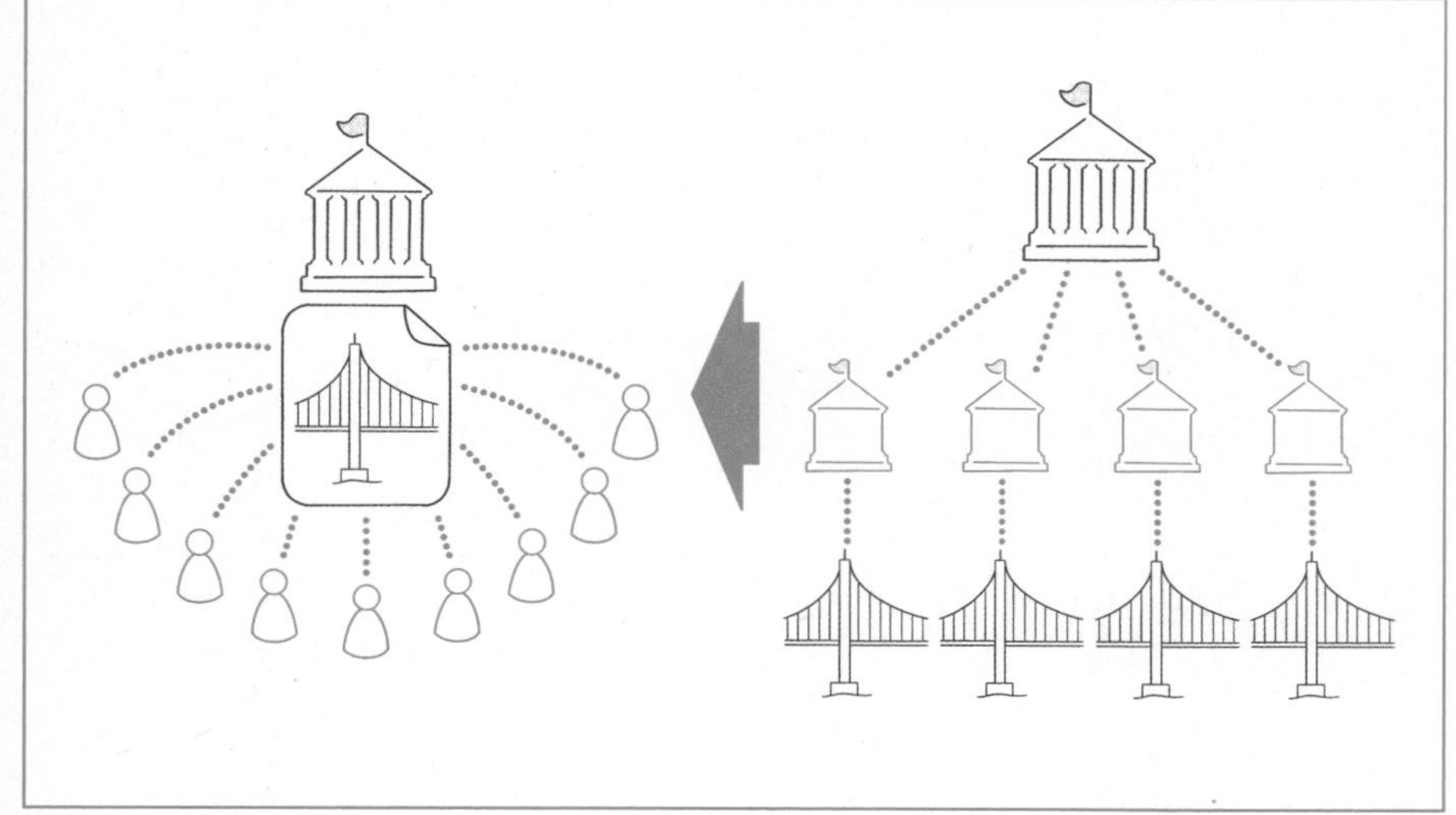

Column 11

キャッシュレスという行政改革
なぜ日本ではその意義がちゃんと語られないのか？

お金のバーチャル化について目から鱗の視点を授けてくれるデイヴィッド・バーチの『ビットコインはチグリス川を漂う：マネーテクノロジーの未来史』（みすず書房）の最終章は、「キャッシュレス化」の意義を語ることにあてられている。そこでは、「イタリアン・キャッシュレス・ウェイ」というキャンペーンのなかで提案された「マニフェスト」が紹介されている。4つの政策分野において掲げられた課題と提言は以下のような内容だ。

1. マネーサプライ

課題
「TwitterとSquareの著名人ジャック・ドーシーは、あるときこうツイートした。『全般的に見て、キャッシュレスな社会への移行は経済的福祉を改善するように思える』。彼はもちろん正しく、私たちはこの未来に向けて消費者を『後押し』していかなければならない」

提言
ヨーロッパ政府は支払いシステムにおける社会コスト総額を今後10年以内に半減させるべきである。まず手始めに、カード提示／カード所有者介在のデビット支払を除く、あらゆる形の支払について手数料を取ることを小売業者に許可すること。

2. 犯罪活動

課題
「電子マネーを確定方針目標にするべき理由は、犯罪活動のコストを引き上げるためだ。おこなわれるのが麻薬の密売であれマネーロンダリングであれ、政治家への賄賂であれ脱税であれ、現金は犯罪を簡単かつコスト効率の良い活動にしてしまう」

提言
100ユーロ、200ユーロ、500ユーロ紙幣は5年以内、50ユーロ（と50ポンド）紙幣は10年以内に流通から外す。

3. 社会政策

課題
「イギリスの調査では、現金を使う世帯は使わない世帯よりも年間数百ポンド所得が低いらしい。これには、いくつも理由がある。現金取得にかかるコスト、自動引き落としで光熱費を払えないこと、オンライン取引からの除外、その他様々な損失。ここには、はっきりと不公平がある」

提言
追加の顧客確認なしに、最大1000ユーロまで入れられるオンデマンドの電子支払口座が可能になるよう規制緩和する。

4. コントロールと規制

課題
「分別のある人々が現金との離別について抱く疑念の大半は、プライバシーとセキュリティにかかわるものだ。プライバシーを守るためにはセキュリティがなくてはならないので、それらの懸念に対処するためにはプライバシーを中心に目標を設定する必要がある」

提言
ペイメントカードの券面や電子データに所有者の名前を表示させないような法律を手始めに、取引とそのデータ共有のためにプライバシー保護を強化したインフラを整備する。

以上を見てみると、「キャッシュレス推進」を後押ししている本質的な要求は、経済的・社会的福祉に関わるものであることがわかる。そうであるがゆえに、それはお金をめぐる社会インフラ全体に及ぶ公共事業となる。そこには、社会をどのように変え、どのように良くするのかがビジョンとして提出されなくてはならないはずだが、日本において「キャッシュレスの意義」が政治家や行政府から説明されることはほとんどない。それがなぜなのか、のほうがむしろ気になるほどだ。

References
『ビットコインはチグリス川を漂う　マネーテクノロジーの未来史』デイヴィッド・バーチ
https://www.msz.co.jp/book/detail/08694.html

確認を行うことのできる「e-KYC」や、電子書類の保管庫である「DigiLocker」といったものを開発しています。また、これはインドではなくフィンランドの話ですが、フィンランドが「ペーパーレス／キャッシュレス社会のための公共財」として電子署名などと併せて開発したのは、「電子領収書」（e-receipt）と「電子請求書」（e-invoice）です。これは最初は政府主導ではなく、民間銀行の連盟が主導して行ったと言われていますが、のちに政府も参加してビジネスのための公共インフラとして広まっていきました。166・171頁

——請求書と領収書ですか。

言われてしまえばなんてこともありませんが、デジタル上でやりとりするための「請求書」と「領収書」の「規格」を整備して、誰にでも使えるように開放したというものです。

——それって、そんなにすごいことなんですか？

すごいのかどうかはわかりませんが、少なくとも日本ではきちんと整備されてはいません。

——え、そうなんですか？

銀行なんかにいくと、支払いをするために記入しなくてはならない帳票がたくさんありますよね。これって記入するのも面倒ですし、ちょっとでも不備があると受け付けてもらえなかったりするじゃないですか。でも、そのわりには、帳票によってどこに何を記入するのかも違ってますから、だいたい間違えますよね。

——はい。

一方で、銀行側からすると、そういうまちまちな帳票にだいたいが間違って記入されているようなものを、すべて正確に確認するのってとても面倒じゃないですか。

——そりゃそうです。

日本の銀行ってある意味かなり早い段階でデジタル化はしているんですが、でも相変わらずそうした面倒なアナログの帳票ってあるわけです。とすると、サイズもレイアウトも違う手書きで記入された帳票を、どこかのタイミングで間違いのないようにデータ化してるということになりますよね。

——ほんとだ。

その手間って、どう考えても無駄じゃないですか。いまでもまだある話だと思うんですが、パソコン上でつくった請求書をプリントアウトして、そこに実印を押して、それをスキャンして、メールで送るなんてことをやっていたりするのと同じですね。デジタル化だ、効率化だと言いながら、実は手間が増えてるなんていうことは案外たくさんあります。その最たるものが帳票で、いま大手銀行はそれを画像認識を使って自動読み込みするための機械を導入しているそうなんですが、それでは真のデジタル化になっていませんよね。

——なんだか壮大な無駄という感じがしますね。

ですから、オンラインでそうした書類をやり取るできるようにするための「規格」が必要で、「電子領収書」や「電子請求書」といった仕組みをちゃんと整備することは必要なんです。それがないところでキャッシュレスだけを推進しても本当は意味がないんです。

——なるほど。

中国政府もここ数年で、請求書と領収書の電子化を急速に行ったと聞いていますが、それというのも中国では架空請求が多く、それが脱税の温床になっていたそうで、政府はずっとそれに悩まされてきたというんです。そこで政府が介入して、請求書と領収書を、政府が用意した電子的な規格に二ヶ月以内にすべて統一しろということをやったそうです。

——それはまた強引ですね。

そこはさすが中国共産党という感じですが、こうした仕組みを導入するにあたっては、中国政府に限らずどこでもそれなりに強硬なやり方を取っているようです。たとえばデンマークでは一年間の猶予期間を設けた上で、あるタイミングで行政府への支払いをすべてオンラインでしか行えないようにしたといいますし、フィンランドなどでも公共交通をあるタイミングで一気にキャッシュレスにしたと聞いています。

——社会ＯＳそのもののアップデートですもんね。それなりの負荷はやっぱりかかりますよね。

そういう意味でもインドのやり方はうまいと思うんです。ＩＤのところではかなりの豪腕を発揮しましたけれども、そこをいったん整えたあとは、市民や民間企業がインフラを自発的に導入するようにうまく誘導していくというやり方は、同時にビジネスインフラを低コストで提供することでもありますから、新しく起業する人たちが有用化することによって経済を活性化することにもつながります。そしてその恩恵が民間サービスを通じて市民にも届くと。「Ｇ to Ｂ to Ｃ」のエレガントなモデルです。

ツリーではなくネットワーク

――そういう考え方は、たしかにプラットフォーム企業っぽいところがありますね。

もっとも彼らも、最初から全体の設計図を描いて、それに基づいてシステムを組み上げていったのかと言えばそうではないようで、ひとつ基盤をつくったら、その基盤をきちんと運用していくためにはあれも必要これも必要となっていき、それをやっていくなかで行政府だけでなく市民も使えるようなサービスも生まれていったということなんだそうです。そうやって、サービスが有機的につながっていくためのアーキテクチャをどうしたらつくっていけるのかを考えていくことが大事なんです。

――面白いですね。

そうしたアーキテクチャを考える上で重要なのは、物事を縦割りで見るのではなく、横のつながりで見ていく発想だと思うんです。これまでの官僚組織・行政組織というのは、上から下に向けて縦に系統図が連なっていく「ツリー状」の組織です。ツリー状の構造ですと、情報もお金も人も縦には動くのですが横には動きません。「縦割り行政」という言い方がよくされますが、これって一種の同義反復なんです。というのも行政府は縦割りで出来ていて、それ以外のありようが構造的にないからです。それの限界が露呈してしまっているのだとすればその構造を変えるしかありません。

――縦つながりから横つながりの構造に変えようということですか。

「ネットワーク型」といわれるのは、まさにそういう横型の組織体のあり方ですね。

Column 12

なぜガバメントはテクノロジーが苦手か?
官僚によるサボタージュ 10の様態

ガバメントをアップデートせよ。言うは易しだが、傍目から見ても、それがちゃきちゃきと進んでいくようにはとても思えない。とりわけ、デジタルテクノロジーを用いたOSのアップデートには大きな困難が伴う。なぜテクノロジー導入が官僚組織にはそぐわないのか。熾烈な官僚組織の抵抗に直面したとも言われるインドのガバメント・トランスフォーメーションの内幕を描いた書籍『Rebooting India』は、その理由をこう指摘している。

1. 知識の欠如
テクノロジーの最新動向に追いつけず、その可能性を理解できない

2. 無関心
探究心、ヴィジョン、リスクを負う気概の欠如

3. 実行力
複雑な技術を伴うプロジェクトのマネージングスキルの欠如

4. 自動化による権限のシフト
既得権益、汚職機会の剥奪に対する抵抗

5. 新規プレイヤーの参入
既存のオペレーションの座組みを変えることへの抵抗

6. 調整
コラボレーションよりも上下関係や縄張りが大事

7. プライバシーとセキュリティ
データの脆弱性や監視社会に対するおかしな妄想

8. 戦略よりも戦術
短期的戦術を長期的戦略よりも優先

9. 変化へのおそれ
現状維持が第一

10. 否定的結合
改革阻止のためなら一致団結

さらに同書から、「ガバメントが得意なこと/スタートアップが得意なこと」をそれぞれ列挙しておこう。両者の特性を結合し、生かすことなくしては次世代ガバメントは実現しない。

行政府が得意なこと	スタートアップが得意なこと
スケール(国家規模のオペレーション)	スピード(企画からリリースまで数ヶ月)
安定性(何十年も安定操業)	アジリティ(早くつくって早く失敗)
総合職(どんな案件にも対応)	専門職(特定の課題を解決)
過程がすべて(高い調整力)	結果がすべて(市場による評価)

References
"Rebooting India—Realizing a Billion Aspirations" Nandan Nilekani, Viral Shah
https://www.penguin.co.uk/books/259/259235/rebooting-india/9780241003923.html

——はい。

たとえば、医療をみんなに行き渡らせるために全国に公営の病院をつくったり、教育をみんなに行き渡らせるために全国に学校をつくったり、文化的な環境をみんなに行き渡らせるために公共の美術館や音楽ホールをつくったりしてきましたよね。そうした施設って、先にお話ししたように、配給制の考えのなかでつくられてきたので、基本的には大量生産の規格品です。縦の構造のなかに配置されていますから横のつながりがなくて、横とつながろうと思ったら、いったん上のレイヤーまで行かないといけません。しかも企画立案から実装、運営までがその組織形態のなかで行われていきますから、非常に効率が悪いですし、それぞれの地域の特性に合わせて最適化したりすることもなかなかできません。

——何かを変えたり新しいことをやろうと思ったら、上まで情報を送って、それが決裁されて情報が戻って来るのを待たないとダメですもんね。

ところがこうした病院や学校や公共ホールの全国的なネットワークを一種のインフラ、もしくはプラットフォームと考えて束ねてみると、その利活用の仕方や意思決定のあり方や運営の仕方もまったく違うものに変えていくことができるかもしれません。

——うーんと。

たとえば日本中にはたくさんの音楽ホールがありますよね。

〈ツリーからプラットフォームへ〉
横のレイヤーをネットワークでつなぎ、階層を行き来するチャネルを一元化すると、縦横どちらの方向へのアクセスも柔軟になる

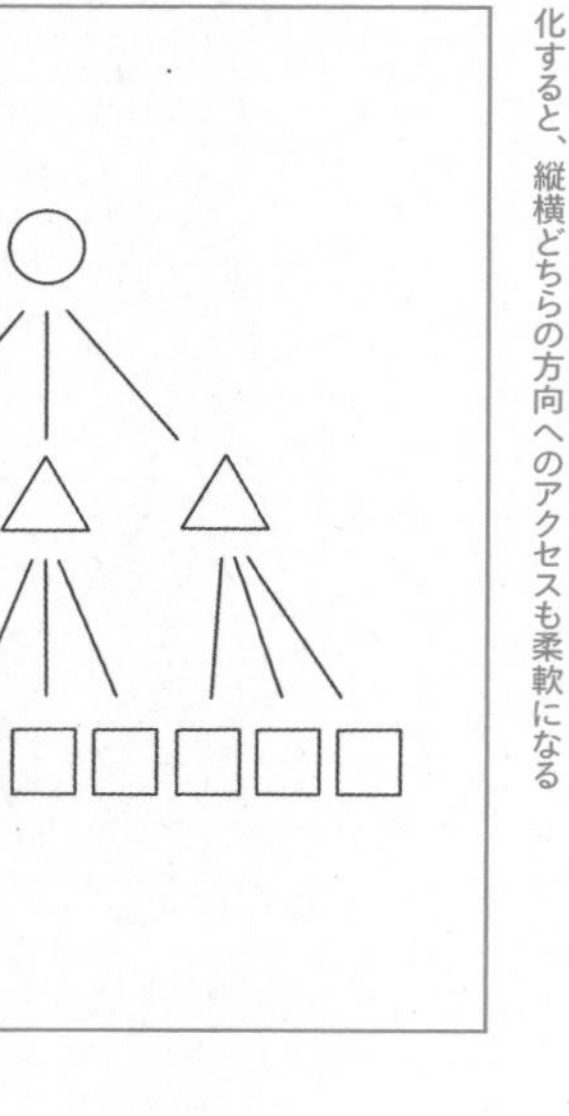

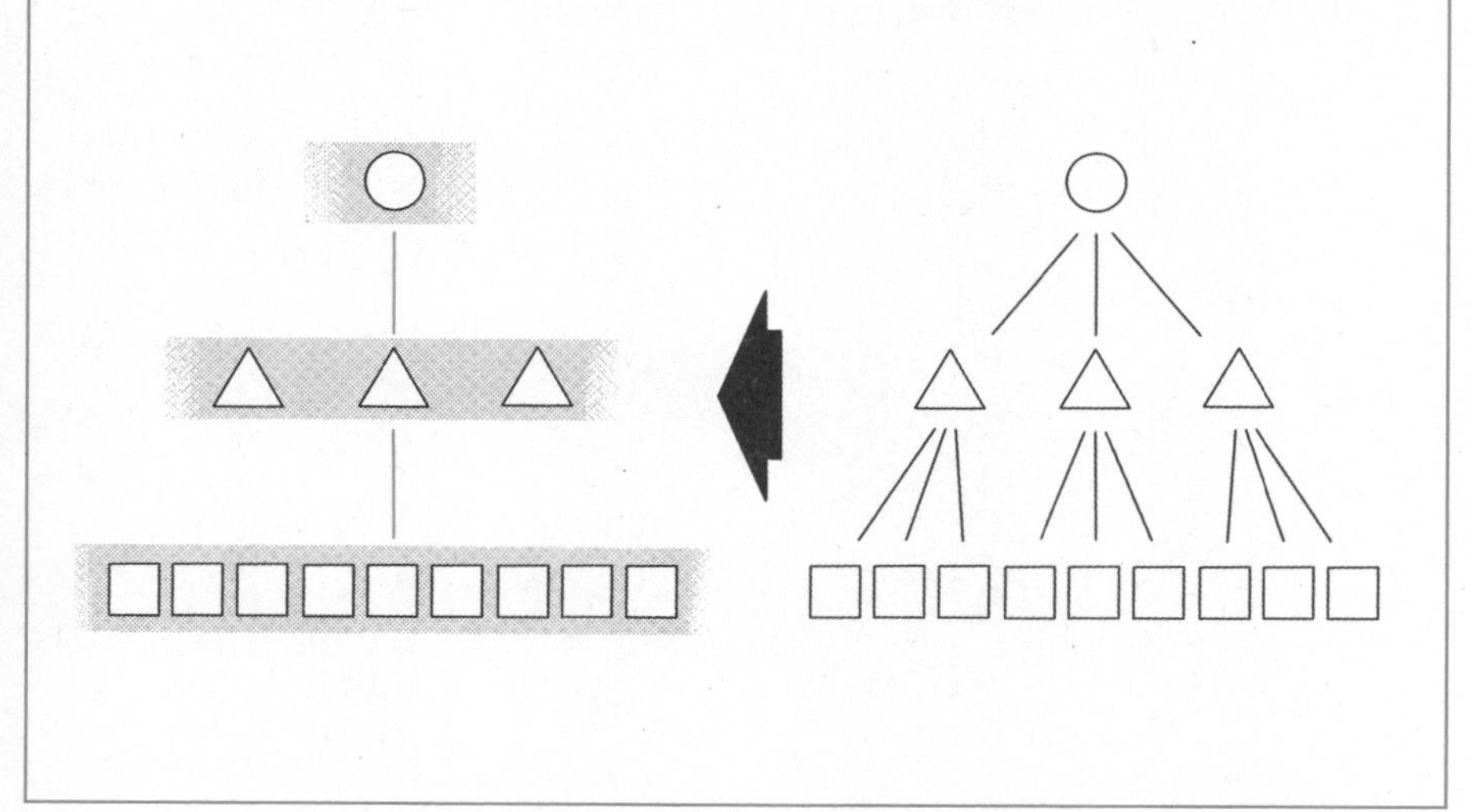

──はい。

公共の音楽ホールは市民も使いますし、民間の企画会社や興行会社も利用します。そうした民間会社があるアーティストの全国ツアーを組もうと思ったら、それぞれの施設に個々に問い合わせてスケジュールを聞いて、それでツアーの予定を組まなくてはならないのが現状なのだそうです。ところが、公共ホールをひとつの全国規模のネットワーク・インフラとして捉えてそこにデジタルネットワークを走らせたら、市民でも興行会社でも全国のホールの空き状況がすぐに一瞥できて、さらには会場を押さえるための申請もできる仕組みがつくれるかもしれません。加えてそこに一定のユーザーが集まってきたら、民間のホールや施設がそのプラットフォームに乗ってくることだってあるかもしれません。

──一種のマーケットプレイスというか、そういうものをつくるという考えになりますか？

まさにそうだと思います。サービスコンテンツのところはできるだけ民間企業やユーザー主体で自発的に企画・開発・運営されるようにして、そのサービスとユーザーが出会うことを促すマッチングのための基盤を先ほど言った「パブリックグッズ」として行政府が提供していくという考え方です。「デジタルパブリックグッズ」のためのApp StoreやGoogle Playのようなものですね。

──携帯電話の通信ネットワークがインフラとしてあって、その上に乗った端末それぞれのOSの規格に沿って誰もが新しいアプリをつくることができるという構造ですね。

「モビリティ・アズ・ア・サービス」（MaaS）や「バンキング・アズ・ア・サービス」（BaaS）といったことばを耳にしたことがあるかもしれませんが、いわゆる「○aaS」というものの考え方の根底にあるのは、こうした発想です。たとえば「BaaS」は、銀行の預金口座をAPI化し、それを一種のインフラとして扱うことで、そのプラットフォームの上でさまざまなサービス＝アプリケーションを開発することができるようになるというものですが、同じように行政府も

Column 13

厚生労働省のデス・スパイラル

「生きながら人生の墓場に入ったとずっと思っている」

厚生労働省の若手職員による「厚生労働省改革若手チーム」が2019年8月に発表した、省内の働き方をめぐる緊急提言は、若手官僚の悲喜こもごもと改革への切実な思いが詰まった優れたレポートだ。書き出しからしてこんな悲痛な声が並ぶ。「厚生労働省に入省して、生きながら人生の墓場に入ったとずっと思っている」「家族を犠牲にすれば、仕事はできる」「毎日いつ辞めようかと考えている」。他人事ではない、と思われる方も多いかもしれない。当レポートは、こうした痛ましい職場環境の実態を、以下のような「負のスパイラル」として描き出している。

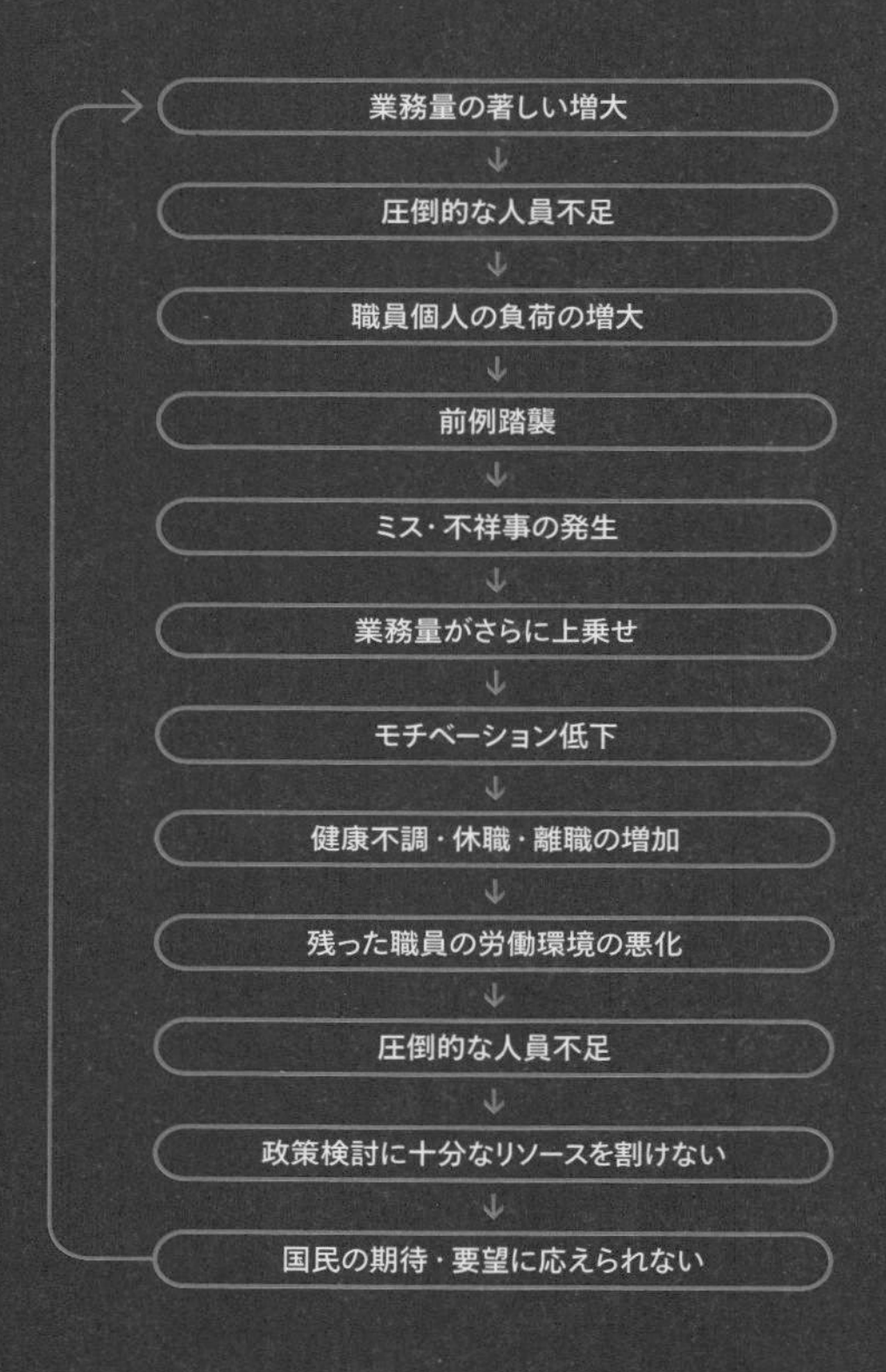

こうした悪循環に陥るのは、必ずしも中央官庁だけではあるまい。ヒエラルキー構造をもった分業体制が敷かれる「官僚制」は民間企業においても採用されている基本OSだ。加えて、財源不足による効率化、人員不足は民間企業においても顕著な問題となっている。こうした問題を、個々の組織の経営スキルの問題ではなく、構造的なものであると考えるのであれば、あらゆる組織は、すぐさま既存のOSを新しいものへと入れ替えなくてはならない。

References

「厚生労働省を変えるために、すべての職員で実現させること。」厚生労働省改革若手チーム緊急提言
https://www.mhlw.go.jp/content/11600000/000540524.pdf

「ガバメント・アズ・ア・サービス（GaaS）」という観点から新しい公共財をどんどんつくっていくことができるようにも思います。

——なるほど。

中国の保険会社で平安（ピンアン）保険という大手保険会社がありまして、ここは中国では名だたるテック企業としても知られているんですが、彼らが運営しているサービスに「平安好医生」（Ping An Good Doctor）というものがあります。これは全国の個人専門医をネットワーク化してひとつのアプリに封じ込めたものなんですが、そうやってネットワーク化することで、アプリそのものが、彼らの言い方を借りると「総合病院になる」んです。

——どういうことですか？

そのアプリを開きさえすれば、お腹の調子が悪い人は近くで良さそうな内科医を見つけることができますし、目の調子が悪い人は眼科医を見つけることができ、子どもの具合が悪い人は小児科医を見つけることができます。総合病院というのは、本来「みんなの困った」にすべからく応えるべく、あらゆるサービスコンテンツをフルパッケージで揃えていますけれど、平安保険の考え方に則れば、そうした施設はもはや必要ありません。ネットワークのプラットフォームがあれば、スマホのなかに「総合病院」ができてしまうわけですから。

——「病院・アズ・ア・サービス」ですね。

医療に関わるネットワークをこのようなかたちで運用していけば、お医者さんのネットワークを今度は薬局や製薬会社のネットワーク、あるいはスポーツジムやヘルスケアサービスのネットワークとつなげることで新しいサービスやマーケットを生み出すことができるかもしれません。あくまでも思いつきですが、こうした観点から行政府は自分たちがもっている資産のネットワークをもう一度見直して、それを再編していくことが必要かと思います。こうした考え方をイギリスのイノベーションラボ「NESTA」は、「コネクテッド・カウンシル」という呼び方をしています。108頁・コラム21

――「コネクテッド」。「接続された」ということですね。

これからの行政府のあり方として彼らが提唱しているのは、地方行政府がデジタルプラットフォームを用いて、公共空間や設備、場合によっては労働力すらシェアできるようなネットワークをつくりあげるということです。そこにさまざまなリソースが接続されることで、それらをシェアすることも可能になります。何も行政府間だけのシェアではなく民間企業や市民ともリソースをシェアしあうことができるようになるわけです。ネットワーク化というものにはそういう効果やメリットがあるんですね。その前提として、行政府のバックヤードは完全にデジタル化していなくてはなりません。「デジタル・バイ・デフォルト」が大前提です。NESTAの資料では英国は二〇二五年までにそうした環境を整備するよう促しています。

――意外とすぐですね。

インターネットが登場して二五年以上経つわけですから、デジタルへのシフトをおごととして真剣に取り組んでいたら、すでにそこまで行くことができたはずだったということですね。

ネットワークとしての市民

――ネットワークということで言いますと、そもそも行政府は「市民」というネットワークをすでにもっています。それをもっと有用化できるということでもありますね。

有用化というと語弊があるかもしれませんが、市民の手でより良い社会をつくりあげていくということにデジタルネットワークは多くの貢献ができると期待されています。たとえばライドシェアといったものを行政的な観点から見直すと、過疎地域でバス会社からバスを借り上げて運転手を雇ってバスを運行させるよりも、地域内ですでに走っているクルマに相乗りしてもらうことで移動ができたら、コストも下がりますし移動の自由もむしろ高まるかもしれません。もちろんこうしたアイデアにはたくさんのハードルもありますが、バスを走らせるという選択肢がなくなりつつあるなかでは前向きに検討すべきものかと思います。

——困った人を近所の人が助けてあげるというような話ですね。

モビリティについて言えば高齢のドライバーによる事故の問題が最近とてもクローズアップされていますよね。

——はい。それで幼い子どもが事故に遭ったりすると居たたまれない気持ちになります。

本当に痛ましいことです。ですから事故を起こしたお年寄りを厳罰に処すべきだ、とか、すぐにでも免許を取り上げるべきだといった意見が噴出するのは心情的に理解できなくもないのですが、一方で、時と場合によっては、自分で運転するしか病院に行くための移動手段がないということもありえるわけです。あくまでも一般論としてですが、足腰に障害を抱えたお年寄りに「公共交通を使え」と言うのが酷な場合はあるでしょうし、そもそも公共交通がほとんど機能していないエリアであれば病院に行くことすらままならなくなります。もちろんお年寄りの無謀な運転を見過ごしていいはずはありませんが、といって他に移動の代替手段がないところで強制的に免許を剥奪することは、社会的弱者をより弱い立場に置くことにもなります。セーフティネットや代替手段がないところで自己責任だけが問われるのは、社会のあり方としてあんまりです。

——健康で健常な人の論理だけが優先されるのは、まったくインクルーシブではないですね。

行政がフルパッケージで「高齢者の困った」にも「町の子どもたちの困った」にもすべて応えることが、今後ますます困難になっていくのだとすれば、行政府にやれるのは市民や企業がみんな参加して細かい「困った」を解決することができるような、インフラやツールを調えていくことなのではないかと思います。「市民をアクティベート（起動）する」なんて言い方もされますが、たとえばデンマークではこんな行政プログラムがあったそうです。156頁・対話1

——はい。

これは、低所得エリアに暮らす高齢者のＩＴスキルを高めるために行政府が実行したプログラムなのですが、これまでの行政の考え方ですとこういうプログラムはまず公民館に講師を呼んで高齢者にそこまで出向いてもらって講義をするというものになっていたと思うんです。ところが、このプログラムでは近隣の若者を「講師」に仕立てて近隣のおじいちゃんやおばあちゃんのところに教えに行ってもらうということをやったそうです。

——面白い。

講師といってもiPadやスマートフォンの基本的な使い方と、必要なサービスにアクセスして操作する方法を教えるだけですから、そこまで高度な知識は必要ありません。いまの若者であれば、誰でも身につけているような基本的なことですよね。低所得エリアですから治安も非常に悪く若者もだいぶ荒んでいたそうなんですが、こうしたプログラムの結果、若者たちのなかにちょっとした誇りのようなものが生まれたのと、近隣のお

〈市民をアクティベートする〉
市民をエージェントとして起動することで、市民の間で、自律的にサービスが展開されていくように促していく

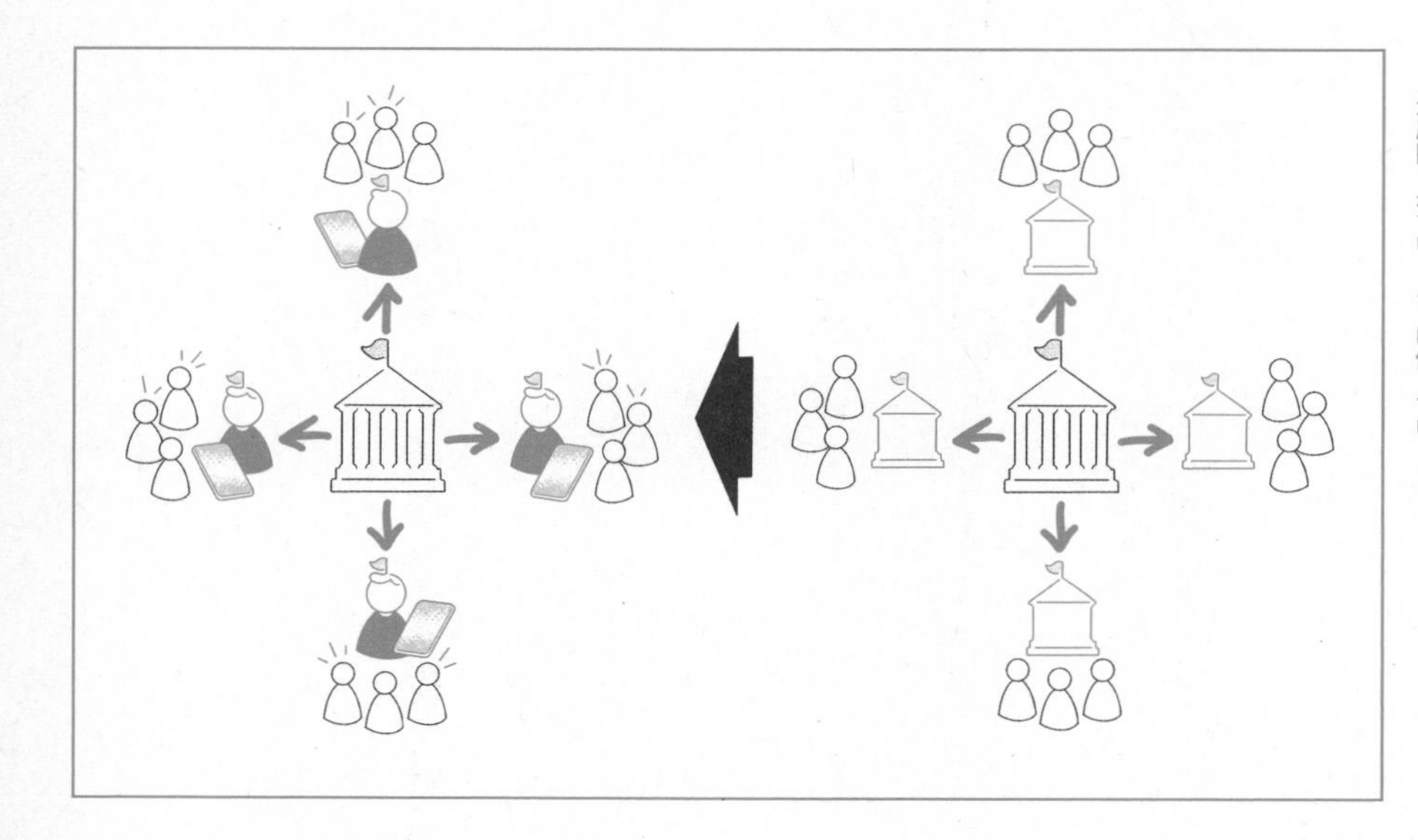

Column 14

ワーカーファーストと国民ファースト

ポジティブスパイラルと３つの改革ポイント

76頁で見た厚生労働省の職場環境における「負のスパイラル」に対置するかたちで、「厚生労働省改革若手チーム」は、今後の職場の望ましいありようを、ポジティブループとして描いている。

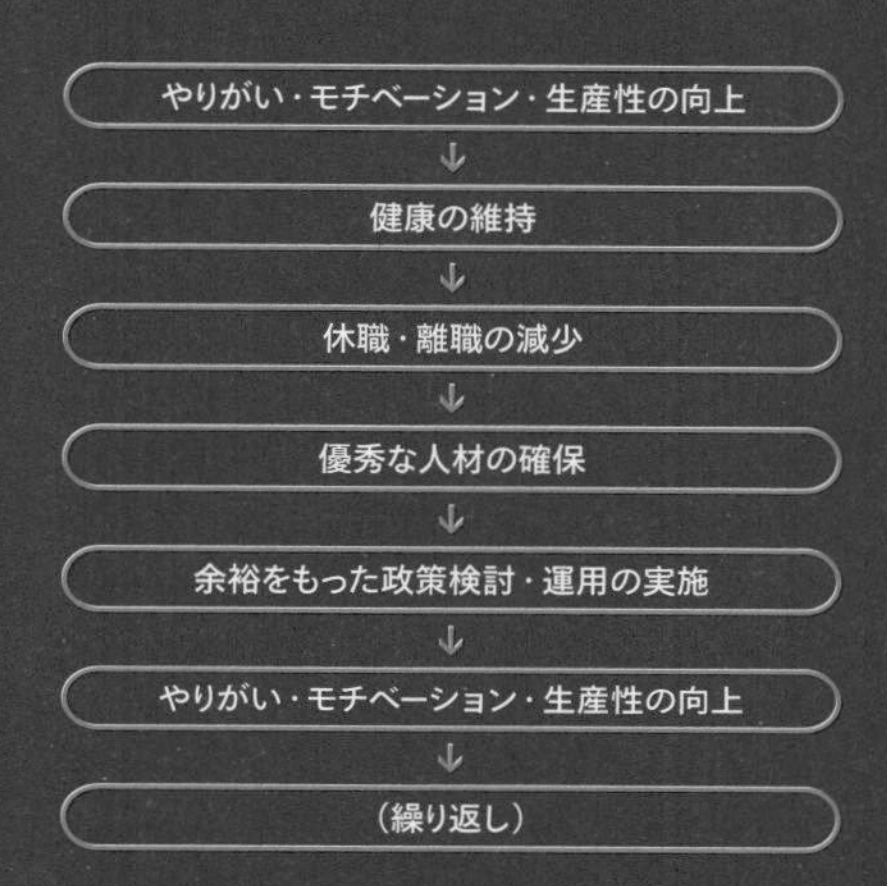

提言を制作した「厚生労働省改革若手チーム」は、結論として「職員ひとりひとりを大事にすることが、国民に価値を届けることにつながる」としている。そしてそれを実現するために、３つのポイントから改革を行うよう提案する。

厚生省のガバナンスイノベーション

1.
生産性の徹底的な向上のための業務改善

- ICT技術の駆使・改善
- 業務の集約化、自動化、電子化、外注等
- 国会業務・広報業務等の改革

2.
意欲と能力を最大限発揮できる人事制度

- 採用、人員配置、時間管理、人事評価、人事異動、人事配慮、研修、人事事務・給与の改善
- これらの改善が可能になる人事課体制の抜本的強化

3.
「暑い、狭い、暗い、汚い」オフィス環境の改善

- 生産性・創造性向上のためのオフィス・レイアウト
- 打ち合わせスペース・会議室の確保・手続き簡素化
- エアコン稼働時間や温度調整の柔軟化・手続簡素化

海外の事例などを見ても、ガバナンスイノベーションの第一ステップは「バックヤードの徹底的なデジタル化・自動化」だ。より本質的な仕事に、すでにして限られたリソースを割くために、バックヤードの抜本的なOSの入れ替えは急務だ。ただし、忘れてはいけないのは、そうした効率化が、あくまでも「やりがい」や「モチベーション」の向上を目指して行われなくてはならない、ということだ。「ワーカーファースト」がサービスの向上につながり、それによって「国民に価値が届くこと」がゴール。「ワーカーファースト」すなわち「国民ファースト」でなくてはならない。

References
「厚生労働省の業務・組織改革のための緊急提言」厚生労働省改革若手チーム緊急提言
https://www.mhlw.go.jp/content/11600000/000540047.pdf

じいちゃんやおばあちゃんたちと顔見知りになったことで、地域の安全にも貢献することができたというんですね。もちろんこのプログラムの趣旨としてあった、いわゆるデジタルデバイドを解消していくという目的も達成されます。

――いい話ですね。

そうなんです。こんなふうに市民に参加してもらうようなやり方で公共サービスをもう一度設計し直すこともできるんです。これは「公的なサービスはもう提供できないから、あとは自己責任で」という考え方とは根本的に違っている点が重要です。

――と言いますと?

最初のアクションとプログラムの設計は行政府がやりますが、最後のラストワンマイルを市民なり企業なりに協力してもらって現場に最も近いところでキメの細かいサービスを実現するというやり方ですから、「ここからが行政府の活動」「ここからが市民の活動」という線引きを策定し直しているだけなんです。行政府はプログラムの最終ゴールやKPIを設定し、具体的なプログラム内容は現場にまかせるのです。これはこれまでの「効率化」とは違う賢いやり方だと思います。どの自治体でも使えるマニュアルやプログラムの規格を用意して、実行のフェーズにおいては個々の自治体なりが自分たちの課題に即して柔軟にカスタマイズできるようになっています。

――実行の部分までを規格化しちゃうと結局使えないプログラムになってしまいそうですしね。

こんな考え方をするとわかりやすいかもしれません。前の方で給食の話をしましたけれども、「大きい政府」による給食っていうのは、クオリティはどうあれ、すべての人に同じ幕の内弁当を、低コスト高効率で支給するものでした。ところがそれが結局はコスト高になって賄えなくなったことで「小さい政府」では、学校のなかにコンビニを設置してそこで弁当を個々人で調達しろというような考え方を導入するわけです。ところがこのやり方は経済格差を際立たせますし、健康という観点で偏りも生みかねません。そこでいまのような「ラストワンマイル」の施策が出てくるわけですが、この考え方でいくと、行政府は学校ごとにキッチンをつくって食材も供給はするので、あとは現場でみんなで調理して食べてくださいというものになります。

——なるほど、面白い。

投げやりな施策に聞こえるかもしれませんが、結構いいことがあるんですね。毎日生徒や先生、父兄も交えて一緒に料理するのは楽しいし、教育的効果もありそうですし、かつ、たとえばアレルギーの子だけ少しメニューを変えてあげるとか、苦手な食材がある子の分は少しカスタマイズしてあげるとか、そうした柔軟な調整がラストワンマイルのところでできるようになるわけです。こうした課題解決の方法は「コミュニティソリューション」と呼ばれ、配給モデルの「ヒエラルキーソリューション」、市場任せの「マーケットソリューション」と異なる考え方として近年特に重視されています。もっとも、時と場合によってどのソリューションが一番有効かは変わってきますので、あらゆる課題を全部コミュニティで解決しろという話ではなく、適正な配合が大事なんです。

——現場に一番近い人たちが、自分たちで課題を解決していくというのは面白いですね。昔の地域共同体に戻っていくような感じがします。

昔の地域共同体というのは、みんなの顔がだいたい見えていて、家族もみんな知っていて、だから誰かがもし困っていたとしてもそれがすぐにわかりましたし、それを解決す

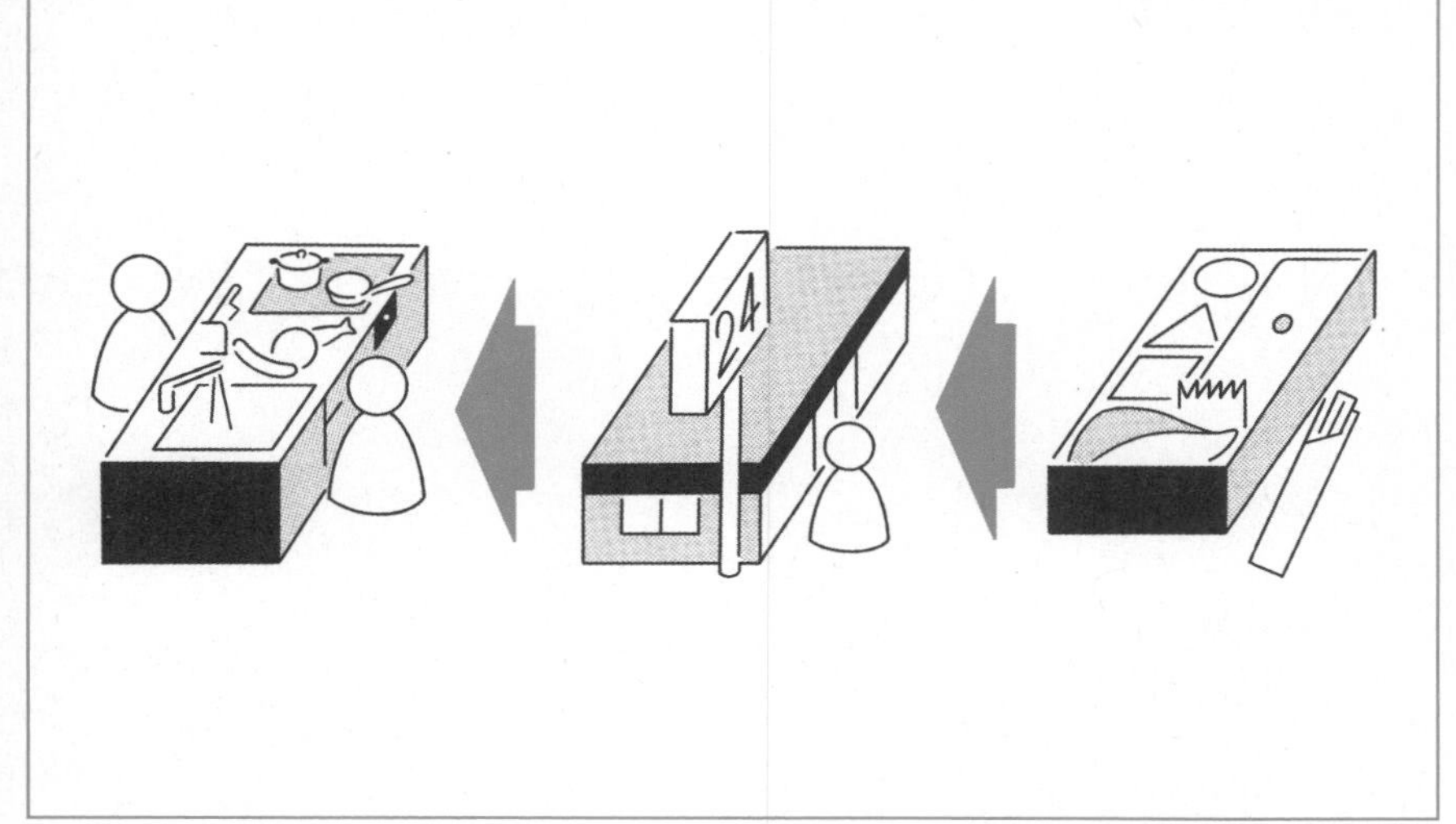

〈新しい公民連携〉
国がランチを配給する「ヒエラルキー・ソリューション」、ランチを市場で調達する「マーケット・ソリューション」から、みんなで給食をつくる「コミュニティ・ソリューション」へ。新しい公民連携のモデル

Column 15

余談　官僚制とヘビーメタル
メタリカとディオとグレーバーと

アナキスト文化人類学者のデヴィッド・グレーバーの深遠なる官僚制論『官僚制のユートピア』は、ユニークな文化論でもある。第3章の「規則（ルール）のユートピア、あるいは、つまるところ、なぜわたしたちは心から官僚制を愛しているのか」では、ファンタジー文学・ゲームと官僚制の関係を熱を込めて論じている。

「官僚制的合理性が一八世紀、一九世紀ヨーロッパやアメリカにおいて支配的なガバナンスの原理になるにしたがい、一種の対抗運動があらわれた。王子、騎士、妖精、ドラゴン、魔法使い、一角獣、さらには、ホビット、ドワーフ、オークたちでいっぱいの、これもやはりファンタジー的である中世についてのヴィジョンの登場である」

2019年は超人気ファンタジードラマ「ゲーム・オブ・スローンズ」が完結した年だったが、中世的な装いをまとったファンタジーが「ハリー・ポッター」ブームあたりを皮切りに、この20年以上にわたって続いていることを考えれば、いまは18～19世紀よろしく、再び「官僚制的合理性」がガバナンスの原理として新たに台頭していると考えることができるのかもしれない。デジタルテクノロジーの発展と浸透は、そうした時代状況と無縁ではないだろう。もっとも、それ以前から官僚制と中世的ファンタジーへの執着を同居させてきた不思議な文化ジャンルが実はある。ヘビメタだ。

ヘビーメタルは独裁政治、管理社会、戦争といったものを、そこからのドロップアウトやそれらがもたらす狂気も含めて、好んで題材にとりあげてきた。80年代ヘビメタの最重要作のひとつ、メタリカの『Master of Puppets』（邦題「メタル・マスター」）を思い起こしていただけるとわかる。戦争機械、顔の見えない支配者、精神病院といった官僚支配のダークサイドをめぐるテーマがずらり。もちろんそれらを賛美しているわけではないのだが、にしても、そこまで熱を込めて歌い演奏するほど執着の対象となったのを見逃すことはできない。官僚制への反転した愛を感じ取ることができると言ったらメタリカは怒るだろうか（怒るだろう）。その一方でヘビメタには、好んでドラゴンや魔法を取り上げるファンタジーの系譜もある。その急先鋒は故ロニー・ジェイムス・ディオだ。彼がリーダーを務めたDioというバンドでは、ドラゴン退治や管理社会による抑圧とそこからの逃避というテーマが、いわばなんの脈絡もなく同居・配置される。不思議なのは、一見そこにはなんの脈絡もないはずなのに、好んで聴いている側にはその脈絡のなさは決して不自然には感じられていないところだ。グレーバーは「ファンタジー文学は官僚制をいっさい排除した世界を想像する試みである」と語っているが、ヘビメタ少年の中二病的な夢想のなかでは、むしろそれらはひとつづきのもの、あるいは同じコインの表裏のように感じられているに違いない。

グレーバーは、ファンタジー文学の議論をデジタルゲームへと敷衍し、そこから「規則」（ルール）と自由な「プレイ」との間にある緊張関係をあぶり出しながらこう結論する。「官僚制の魅力の背後にひそむものは、究極的には、プレイへの恐怖である」。ヘビメタの特徴を表すことばとしてよく使用されるものに「様式美」があるが、自由なプレイよりも規律化された様式を重んじる気風のなかにもやはり、抜きがたく潜む官僚制への誘惑を見てとることができる。

References

「Metallica - Enter Sandman Live Moscow 1991 HD」（ソビエト連邦崩壊とヘビーメタル）
https://www.youtube.com/watch?v=_W7wqQwa-TU

るための決めごとなんかも共有されていましたから、いろんな意味で取引コストが安かったんです。先日、ある山奥のお宅を訪ねたんですが、その村では家が火事に見舞われると、家を再建するための木材を村中の人が寄付することになっていて、家が焼けてしまった当人は、一切自分で木材を調達してはいけない取り決めになっていると伺いました。

——いいですね。

いいですよね。いいんですがそのお宅のご主人は、そうやって村の人がもってくる木材はそこまで品質のいい物ではないので「柱が細くて困るんだよ」とぼやいていました（笑）。

——あはは。一長一短。

そうした環境には、明文化されずとも習慣化された助け合いがあって、それはそれで素晴らしいんでしょうけれども、たしかに一長一短はあるようで、みんなが自分のことを知っているというのは、常に誰かに見られているということでもありますから、そのぶん窮屈だったりもします。一方で、そうした環境から離れて、まわりはどこの誰だかわからない他人しかいない都会のような場所ですと、困ったことがあっても、そもそも赤の他人しかいませんから、誰も自分の「困った」に気づいてはくれませんし、気がついたとしてもよほどの理由がなければ助けてくれません。そうした空間で「困ったこと」に対する解決を探そうとしたら全部自分で調達しなくてはいけませんから、どうしたって取引コストが高くなってしまいます。

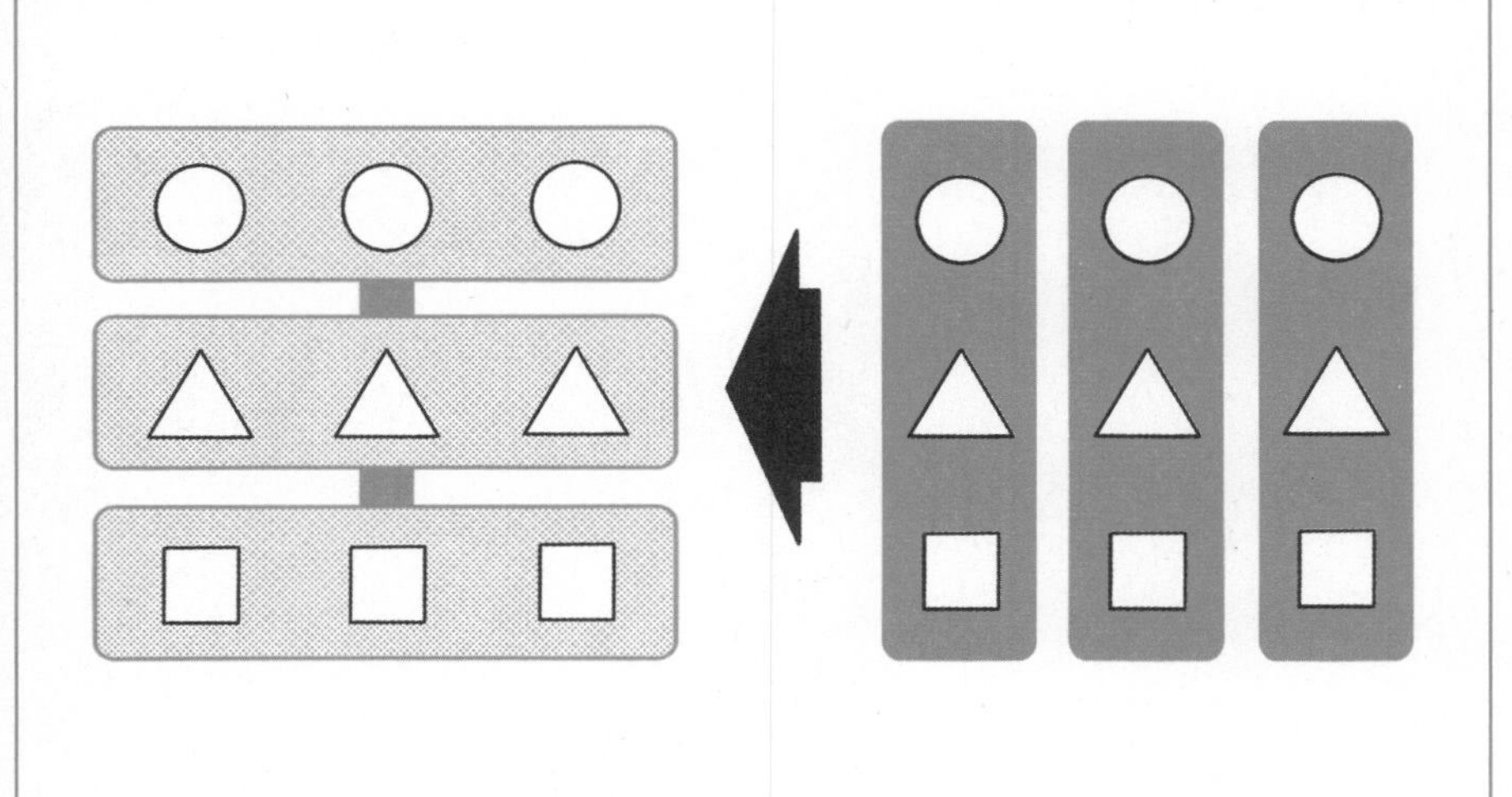

〈「幕の内」から「ネットワーク」へ〉
全部盛りの幕の内弁当がこれまでの行政サービスのあり方。全部盛りのパッケージをほどいて、要素ごとにネットワークとして束ね直す

——そうですね。お金を払って自分で市場から調達しなくてはならないとなるとコストも上がっていきますね。

だからこそ、そこで行政府が間に入ってさまざまな「困った」をできるだけ平等に解決し、かつ取引コストを下げる役割を担っていたんです。近代国家における公共サービスというのは、おおむねそういうものだったはずなんですが、そこで肩代わりしていたコストを税金だけでは賄えなくなってきてしまうと、いま一度かつての地域共同体のようなやり方で、そこにあるリソースをうまく共有しながら「公共」的なサービスを支えなくてはならなくなってきます。市民をうまく巻き込んで公共的な活動への参加を促していくことは、これから行政府がもっと取り組んでいかなくてはならない仕事だと思います。

——できるんでしょうかね。というのも、市民の側に果たしてその準備があるのかという気もするんですが。

共感とシェアのエコノミクス

ひとつ期待できる兆しがあるとすれば、シェアや共感といった価値を基軸とした新しいタイプの経済活動が出てきていることかもしれません。すべてが金銭による等価交換になってしまった社会は豊かさのあまり感じられないギスギスしたものになってしまいがちですので、そうした社会を寂しいものだと感じている人は少なからずいると思うんです。クラウドファンディングのような経済活動は、ただ出来上がった商品を買っておしまいという等価交換の世界を物足りなく思っている人たちによって支えられていると思うんですが、そこには応援する気持ちとか誰かの役に立ちたい気持ちとか、そういったものが含まれていますよね。一方に、なにかしらの「困った」に直面している人がいて、そのもう一方に誰かの役に立ちたいと思っている人がいるのであれば、そこに「課題」と「解決策」がすでに存在しているわけですから、あとはそれをどうマッチングできるかの問題だとも言えるわけです。もちろん、言うほど簡単にことは運びませんが、ベーシックな考え方はそういうものだと思います。共感をベースにした経済活動を通して、普通の資本市場では限界費用が高くて提供できないサービスが提供される可能性が生まれるということです。

——たとえば「ふるさと納税」なんていうのも、問題も指摘されてはいますが、本来はどこかでそういう感覚とも通じあっているところがありそうです。

ふるさと納税は仕組みの建てつけが「消費経済」の理屈でつくられてしまっているところにエレガントさやスマートさを欠くきらいはありますが、それに参加しようとする市民側の気持ちのなかには、クラウドファンディングに通じる感覚はきっとあるのだと思います。わたしの母親なんかも八〇歳近い高齢ですが自分がやれる仕事があるならやりたいと思っているわけです。自分なりに役に立ちたい、役に立てそうだと思う対象を個々人が選んで公的な事業に主体的にコミットできるような仕組みがもっと増えるといいんでしょうね。

——そうした思いや共感を、いまおっしゃった「消費経済」というものと切り離していくには、どういう考え方が必要なんでしょう？

「消費経済」って雑な言い方をしてしまいましたが、ここでは、市場というものをできるだけ広く取ろうという考え方に基づいた市場原理のことを指しています。

——どういうことですか？

どんなに遠いところにあるものでも、それを購入することの経済合理性が高ければ、それを調達してこようという考え方のことです。日本で食べる野菜や果物を世界各国から大量に輸入してくるのは、おそらく国産品でまかなうよりも安く調達することができるからこそやっているわけですよね。

——そうなんでしょうね。

そうやって資源や商品の調達先を世界中へとどんどん拡張していくことで、いまのわたしたちの暮らしは成り立っていますが、そのやり方ですと、外へ外へ、もっと安く調達することのできる「フロンティア」を求めていくことになります。

——なるほど。それを延々とやっていくと、やがて「フロンティア」は尽きますね。

そうなんです。「宇宙を目指そう」という考えは、わたしには資本主義的な市場の拡張の論理の延長にしか見えませんので、あまり好きではないのですが、逆に言えば、こぞってみんなが「宇宙へ！」と叫ぶのは、そこくらいしかもはや「外部」がないという認識の現れなのだと思います。

——どうしたらいいんですか？

いわゆる地域復興の基本的な考え方に「輸入置換」という考え方があるそうなんですが、これは、いままで外から輸入してきたものを、地域やコミュニティ内部でできるだけ置き換えていく、という考え方です。

——ほお。

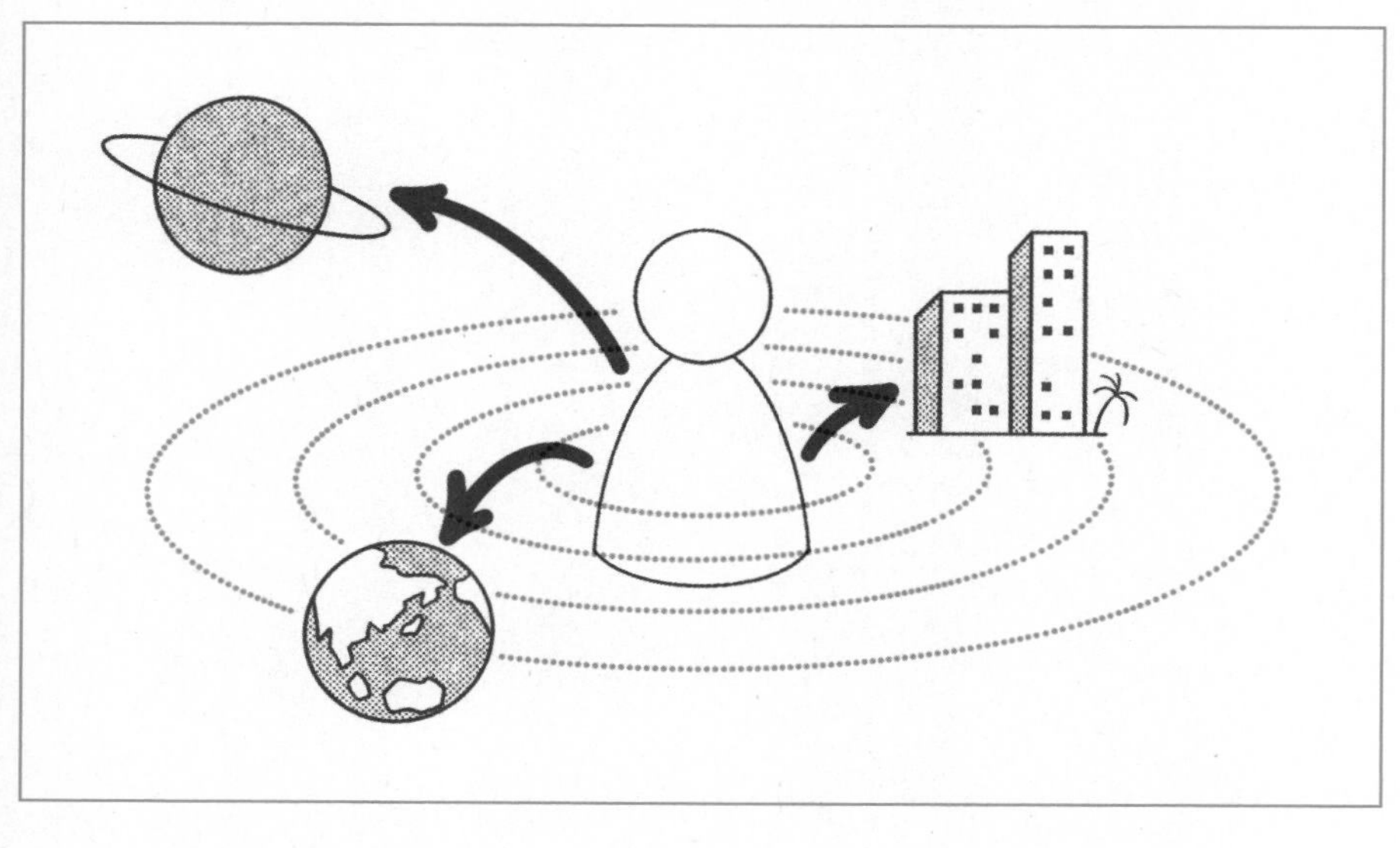

〈フロンティアを探すのはやめよう〉
資本主義は、価格差を生み出せる「フロンティア」を開発することで持続していくシステム

Column 16

インディアスタックの構造

世界が注目する「APIとしてのデジタル公共財」

「India Stack」(インディアスタック)は、政府が束ねる「オープンAPI」の集積体だ。このユニークなインフラを通じて、行政、企業、スタートアップによる、インド国内のさまざまな課題を解決するビジネスやサービスの開発が可能になる。India Stackは政府主導の施策だが、運営は民間。4つのレイヤーで構成され、それぞれのレイヤーに「認証」「署名」「書類作成・承認」「決済」「送金」などのAPIが用意されている。これによって、国民すべてが経済活動に参加することが可能になり、「金融包摂」「教育」「ヘルスケア」などに関わるダイナミックなソフトウェア・エコシステムの創出を促している。行政府はこうしたサービスを通して、より公正で透明性が高く、腐敗の起きにくいシステムへと生まれ変われる。

4つのレイヤー

1. Presense-less Layer (本人不在レイヤー)

・インドのマイナンバー「Aadhaar」

インドのデジタルトランスフォーメーションは、2009年にはじまった。最初に政府が手をつけたのは、新しい「個人認証」のシステムを全国土に行き渡らせることだった。「Aadhaar」と呼ばれるこのシステムを通じてランダムに並んだ12桁の番号が発行され、顔面、指紋、虹彩の3つデータで本人と紐づけられる。オープンAPIとして公開され、ユーザーの承認のもとサービスプロバイダーに提供することが可能。

・誰でも銀行口座「Jan Dhan」

2014年にはじまった政府プログラム「Pradhan Mantri Jan Dhan Yojana」(PMJDY)は、通称「Jan Dhan」と呼ばれており、国民すべてに銀行口座を与えることをミッションとしている。「インド国民であること」「10歳以上であること」「他に銀行口座をもっていないこと」の3つの要件を満たせば、ベーシックな普通預金口座をつくることができる。3億1400万の口座が、このプロジェクトを通してつくられた。

2. Paperless Layer (書類不在レイヤー)

・顧客確認は手間いらず「e-KYC」

個人IDの整備が進んだことで、金融サービスへのアクセスが急増、それを受けて政府は、簡単にKYC(顧客確認)を完了することができる「e-KYC」を2012年にローンチした。これをオープンに活用できるようにしたことで、企業が新規の顧客を得るためにかかるコストを劇的に削減することに貢献した。2017年時点で実に34億のKYCがこのサービスを用いて行われ、それによってインド国民は、クレジット、保険、投資信託など、多種多様な金融商品へのアクセスが容易になった。

・電子署名「eSign」

2015年にローンチされ、Aadhaarを所得している人すべてに対して、電子署名を使えるようにした。

・書類発行・承認プラットフォーム「DigiLocker」

eSignと同年にローンチされ、デジタルの書類を発行・承認し、またクラウド上で保管することを可能にした。

3. Cashless Layer (現金不在レイヤー)

・全金融機関のインターフェイス「UPI」

2016年にローンチされた「UPI」(Unified Payments Interface)は異なる金融機関間でのP2Pの送金を可能にするインターフェイス。銀行はもちろん、どの金融サービス提供者もこのUPIを自社のモバイルアプリのなかに組み込むことができる。UPIは、2018年8月だけで、3億1200万回以上のトランザクションを実行した。

4. Consent Layer (同意レイヤー)

・データを安全に富に変える「Data Fiduciary」

日々膨大に生成される個人データが誰に帰属し、誰がどのようにそれを実際の「富」へと変換するのかについては、世界各国でさまざまな規制などがつくられはじめている。インド電子IT省による「データ受託人・管財人」(Data Fiduciary)というアイデアは、データの利用に関する同意を取りまとめる、ユーザーにとってはパーソナル・マネージャーの役割を果たす組織を指す。

・アカウント・アグリゲーター

「データ管財人」のアイデアは、2016年にインド準備銀行によってつくられ精緻化された。「データ受託・管財」を請け負う企業や組織を「アカウント・アグリゲーター」と名付け、個人データが、不用意に取引相手に渡ることのないよう仲介役を果たす存在となる。アグリゲーターの存在は、センシティブな個人データを取り扱う場、たとえば就職やヘルスケアの市場などにおいて、大きな需要が見込まれている。

References

IndiaStack—Technology for 1.2 Billion Indians
https://indiastack.org

輸入置換という考え方

コミュニティの外部にある市場からばかり調達をしていると何が問題かというと、コミュニティ内にあるお金が、ただ外に出ていくばかりになってしまうことなんです。儲かるのは常に外の企業で、地方と都市の関係で言えば、都会の企業にお金が流れていくばかりになってしまうんですね。地方に都会発のチェーン店が増えていけばいくほど、地域はお金を吸い取られるばかりになってしまいます。もちろんその方が安いので、消費者の観点からみれば良いことでもあるのですが、コミュニティのサステイナビリティという視点から見ると自分で自分の首を締めることになってしまいます。137頁・コラム28

——たしかに。

自分が子どもの頃って、麦茶って基本、パックの麦茶しか売っていなかったんです。

——は？

パックで売っているのをぐらぐらとやかんで煮出して、それを冷まして麦茶を飲んでいたんです。

——なんの話ですか？

ところがある時期から、その手間を省いてくれる格好ですでに煮出した状態の麦茶がペ

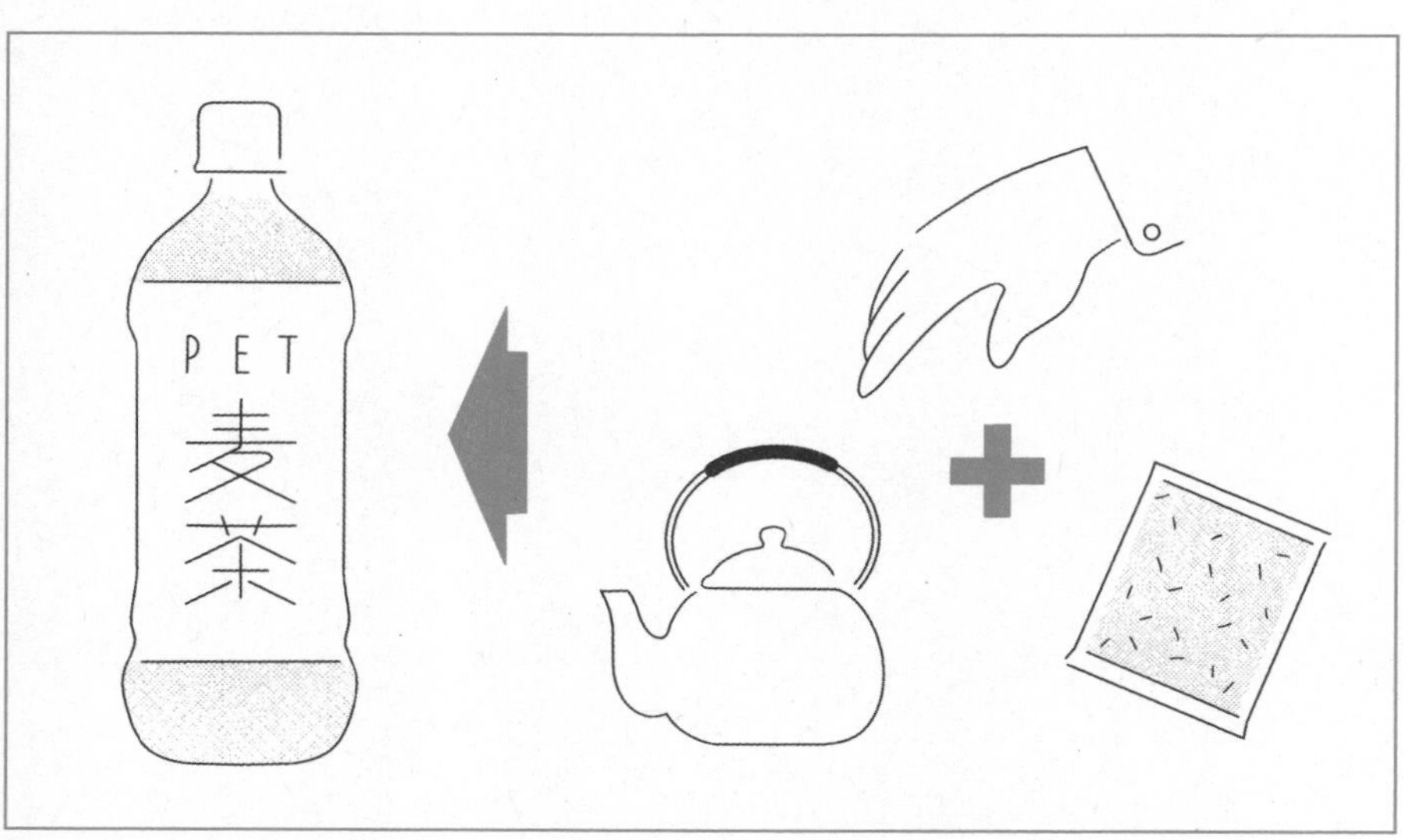

〈手間の市場化〉
生活が便利になっていくことは、さまざまな手間や労働を「市場化」していくことでもある。要は、手間を買い戻しているだけなのだ

ットボトルで売られるようになるんです。

——ほお。

煮出して冷ます手間がなくなって、すぐにごくごくと麦茶が飲めるようになったことは、たしかに便利だし、ありがたいことなんですが、それって要は自分たちの手間を外部化し、市場化してしまったということなんです。

——あ、なるほど。手間のところを市場化しちゃったことで、本当だったら自分でできたことをわざわざ市場から調達しなくてはならなくなったということですね。

そうなんです。そうやっていくとペットボトルの麦茶は便利ですから、多くの人がぐらぐらとやかんで煮立てることをしなくなっていきます。

——はい。麦茶用のでっかいやかん、あれ、あまり見かけなくなりました。

そうやってやかんが家庭から減っていき、パックの麦茶も市場から減っていくとますますペットボトルの麦茶への依存が高まりますので、そうやって麦茶にアクセスするための回路を自ら狭めていくことで、ペットボトル麦茶のメーカーの言いなりにならざるを得ない状況をつくりだしてしまっているんです。

——急に値段を上げられたり生産を止められたら麦茶が飲めなくなる、と。

これは極端な例ですが、こうやって考えてみると麦茶にかかるコストは確実に上がっていますし、そうやってわたしたちは利便と引き換えに家庭内にあった仕事を市場に明け渡し、その仕事の分の利便を金銭で買い戻すということをしている

Column 17

エストニアで実現しているこれだけのこと

デジタルガバメントの最先端はここまで進んでいる

電子政府の最先端国といえばエストニアだ。エストニアの電子政府についてはすでにたくさんの情報も出回っているが、ここでは改めて、デジタル化によってインターネット上で展開されている行政サービスをラウル・アリキヴィ、前田陽二の著書『未来型国家エストニアの挑戦：電子政府がひらく世界』（インプレスR&D）を参考に列記しておこう。

〈政治参加〉
・I-Vote：インターネット投票　2005年から実施
・Osale：参加型ポータルサイト　2007年に開設。法案や提案の提出、協議や公聴会に参加、法案審議の進捗を検索して知ることなどができる

〈行政サービス〉
・住民登録サービス：居住届、所有者請求、出生届、証明書コピー申請、血縁関係検索など
・CReP：会社登記ポータル　登記に加え、年次報告書の提出も可能
・土地登記：地籍、所有権、抵当・制限・使用権、住宅ローンの情報などを掲載
・mParking：モバイルパーキング（モバイルで駐車場を利用できる）
・IDチケット：公共交通の乗車券を電子身分証明書（eIDカード）で購入

〈税〉
・電子確定申告：毎年3月に税の明細を行政が作成、市民はポータルサイトから確認し電子署名をもって確定させ、還付を受けることが可能。国民の95%が電子申告を利用。窓口で3カ月はかかる還付金振込が3日で完了

〈医療〉
・EHR：電子保健記録システム　全国の医療機関をつなぐ保健情報システム
・電子画像管理：X線画像などを保管するためのデータバンク。全国のあらゆる医療専門家機関が参加可能
・電子予約登録：ウェブ上で専門医の検索、診察の予約ができる
・電子処方箋：患者の処方箋情報を登録、患者の要求に基づいて薬剤師に情報を送信する

〈教育〉
・EHIS：エストニア教育情報システム　教育機関での活動に関するデータベース
・教育証明ドキュメントサブレジスタ：卒業証書や成績報告書の登録・発行が可能
・教師用サブレジスタ：教師の活動に関するデータベース
・生徒・学生、常駐医師用サブレジスタ：生徒・学生、校医の活動のデータベース。国が教育政策の立案を行うためのファクトを提供
・教育機関用サブレジスタ：教育システム全体を把握・分析するためのデータベース
・カリキュラムと教育ライセンスのサブレジスタ：教育プログラム、ライセンスを登録
・SAIS：入学情報システム、インターネット経由で大学の入学願書提出が可能

〈警察〉
・自動車登録センター、自動車保険基金、住民登録局などとのデータ連携

〈行政府内〉
・電子閣議：オンライン化されたペーパーレス閣議と電子投票にてリモートで閣議に参加可能。閣議内容は翌日にウェブで公開
・文書交換センター：国家ポータルでやりとりされる文書（eForms、DigiDoc）を処理するためのシステム

References

e-estonia—we've built a digital society and we can show you how
https://e-estonia.com

んです。自分の尻尾を食べている蛇みたいなものじゃないですか。もちろん生きていく上でのすべての活動を、全部自分の手でまかなうことはもはや不可能ですから、当然外から調達せざるを得ないものはあるのですが、全部が全部そうでなくていいじゃないかというのが、俗に言われる「循環経済」というものの考え方だと思います。

――無駄に外に向けて流していたお金を自分たちのいる圏域のなかで回そうと。

まさにそうです。これはエネルギーについてもそうでして、中央で管理された電力供給に依存しているとお金は中央に向かって流れていく一方ですし、現状の仕組みですと自分たちの地域と地理的に関係性の低い場所で起きた事故や災害に自分たちの生活が依存している格好になりますので、そもそも自律性が低いんですね。

――福島で起きた事故によって、東京が真っ暗になってしまうと。

そうなんです。ある意味これも配給制なんです。一方で自分たちの近いところでエネルギーをつくり出してそれを自分たちで使えば、地域内でエネルギーもお金もまわることになりますから、より自律的にそのエネルギーを持続することができると考えるのが「循環経済」あるいは「地産地消」というアイデアです。

――さっきの麦茶の例で言えば町内や村内の人たちの労働でまかなえる仕事をその地域や領域のなかで完結させることができれば、外からそのサービスを買って来なくて済むということですね。

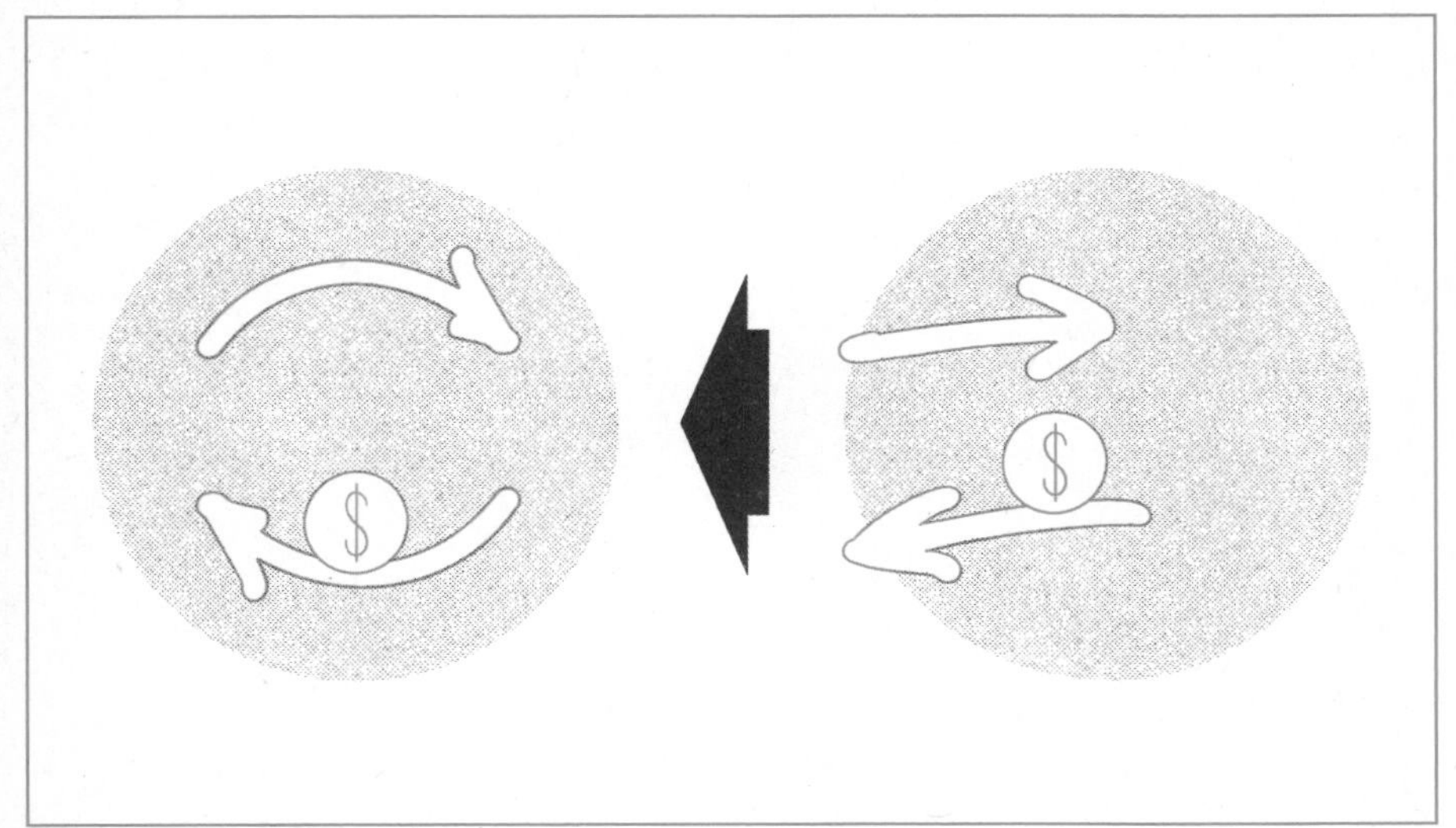

〈資金をなかで循環させる〉
商圏を小さく保つことで資金の流出を防ぎ、策定されたエリア内で、資金を循環させることができる

ただしこれは何も資本主義の否定ということではなく、むしろ相互補完的なものとして考えるべきものだと思います。なんでもかんでも外から買ってくるのではなく、自分たちである圏域を戦略的に策定して、そのなかで何が調達可能かを見直して置換できるものは置換していくという発想です。これからの自治体や行政府にはこうした戦略性が求められているんです。

災害と自治

——こうしたことは災害のときにも重要な問題になりますね。物資をすべて外に頼っていると、何らかの災害でその配給経路が分断してしまったときに死活問題になってしまいます。

災害のリスクへの対応を見ていると、やはり配給モデルの不自由さが見て取れますよね。何らかの決定を行う主体が災害の現場から離れた遠くの場所にあって、現場の様子がそこに報告されて、遠くにいる誰かがその報告に基づいて何らかの判断の指示を出すという仕組みはまず時間がかかりますし、臨機応変な対応を阻害するという意味でも不自由なものです。先ほど課題解決を行う際に、最後の「ラストワンマイル」を市民主導で行うデンマークの取り組みを紹介しましたけれども、現場の人びとがどれだけ臨機応変にその場の状況に見合った対応ができるようになるかは、行政のあり方を変革する上で重要な論点だと思います。129頁・コラム26

——災害においては「現場での対処がより重要になる」という議論がある一方で、昔ながらのインフラ整備こそが大事だというような議論もあります。特に二〇一九年の台風一九号の被害のあとには、「やっぱインフラ整備でしょ」という声が強く上がりました。

もちろんインフラ対策を強化して国土の「強靭化」を図るのは大切なことですが、そういう昔ながらの「強靭化」がすでにできなくなっていることに根本の問題があるわけですから、そうした声が無い物ねだりになる可能性は大きいのかもしれません。というのも国土交通省の資料によると、「耐用年数を迎えた構造物を同一機能で更新すると仮定した場合、現在ある国土基盤ストックの維持管理・更新費は今後とも急増し、二〇三〇年頃には二〇一〇年頃と比べて約二倍になる」と予測されているんですね。しかも「一人当たりの維持管理・更新費は人口が少ない県で増加が顕著」と言われていますから、おそらく今後これまであったインフラを修理補修したり新しくしたりすることはどんどん困難になっていくはずです。加えて、そうした「維持管理を支える人材」がどんどん高齢化し減少してもいて、二〇五〇年には二〇一〇年頃と比べると半数に減ってしまうとされています。そうしたなかで土木インフラのさらなる強化を通じた「強靭化」がどの程度達成可能なのかは、相当にシビアに見た方がよさそうです。124頁・コラム25

——どうしたらいいんですかね。

先日、いわゆる災害避難所について面白い記事を読みました（「イタリアの避難所に被災後真っ先に届く3つのものとは」リスク対策.com／ダイヤモンド・オンライン）。イタリアの災害避難所に関するものなのですが、イタリアの避難所は日本なんかとは比べものにならないほど過ごしやすく、避難所には一時間で一〇〇〇食さばけるキッチンカーなどが用意されるそうです。しかも、こうした救援インフラはボランティア組織が用意しているというのです。

——行政府ではなく。

そうなんです。記事のなかに行政府職員のコメントがあるんですが、「イタリアは災害が多く、私たち公務員だけではとても災害救援はできません。私たちは直接支援するのではなく、被災者が何を必要としているかを聞く立場なんです」と語っています。つまり公務員の仕事は、「被災者や支援に入る方の声を聞き、調整をする」こととされていて、その調整を受けて実行するのは、民間ボランティア組織になっているというんです。

——なるほど。行政府が「ラストワンマイル」まではやらないわけですね。

そうなんです。さきほど言ったキッチンカーなんかもボランティア組織が自前でもっていて、重機やヘリコプターといったものまでもっているところもあるといいますから、実行力もおそらく日本とは比べものにならないんだと思います。

――すごいですね。

日本はこうしたNPOやNGO、いわゆるソーシャルセクターに分類される組織が弱いんです。生産年齢人口に占める非営利セクターの就業者の比率を見てみると、イギリス、アメリカの半分という低い水準ですので、こうした非営利サービスが拡大していく余地はまだありますし、逆にそうなっていく必要は大いにありそうです。36頁・コラム3

――そういえば、消防や警察みたいな最もベーシックな行政機構ですら「今後民営化が起こりえる」なんていう意見も聞いたことがありますが、そうなったとするとますますこういった組織は重要ですね。

日本の時代劇を見ますと「火消し」は、「暴れん坊将軍」で北島三郎さんが演じていた「め組」のような町人による「町火消」と、公的に幕府が管轄する「武家火消」の両方がやっていたりしますよね。いわゆる警察組織も、奉行所や火付盗賊改方の末端には非公認の民間人がいわゆる「岡っ引き」として働いていたと言いますから、近代以前は、いまでいう「官民連携」がいい意味でも悪い意味でも、融通無碍なやり方で機能していたと見ることはできるかもしれません。昔はよかったと言うつもりは毛頭ないですが、現在と違うモデルがあったことを知るのは、少なくともなんらかのヒントにはなりそうです。

――行政に丸投げでも民間に丸投げでもない、新しい公民連携のあり方が必要なんですね。

LAWSON

川中川橋梁

Column 18

エストニアから日本は何を学ぶのか

やるべきことがとにかくたくさん

『未来型国家エストニアの挑戦』の最終章には、デジタルガバメントの実装への道筋が、日本への提言のかたちでまとめられている。マイナンバーの導入をもって始まる（はずの）社会システムのデジタル化の道のりにおいて、日本はエストニアから下記の５つのポイントを学ぶべき、と同書は語る。

【明確な基本方針の策定】

・行政サービスの効率化
・行政サービスの利便性の向上
・ICT産業に対する雇用対策
・ICT産業に対する事業拡大支援
・ICT先進国としてのポジションの維持

政府によるICT推進には、上記のようなさまざまな目的がありうる。どこに力点を置き、どこから手をつけていくのかは重要な政治判断となる。また、ゴールに従って、官民連携の推進方針、国際連携の方針、コストをめぐる方針（エストニアは国際基準の採用、オープンソースの利活用を当初から掲げていたため、開発コストを下げることに成功した）の策定も必要。

【国民理解の獲得】

・政策の一貫性
「ICT推進を政争のテーマとしないことが重要である」と同書は語る。政権が変わっても一貫性が保たれたことが、エストニアのデジタルイノベーションの成功の要因。

・情報公開の徹底
「マイナンバーは将来どのようなシステムに使われる計画なのか、情報を積極的に開示すべきである。将来の全体像を示した中で、まず税と社会保障に利用する、といった説明がないと、国民の合意を得ることは困難である」。

・中期計画の立案と実施
エストニアでは７年計画を立てて予算案を作成。ユーザーの意見を取り入れながらサービスを改良していく必要があるため、「少なくともPDCAサイクルが2回以上回る期間が必要」。

【共通基盤の構築】

公共機関のシステムでは何を共通基盤として構築すべきかを明示することが必要。「共通基盤を構築するためには、多くの知恵と予算が必要になる」。

・国民ID番号
税、社会保障、災害対策のみならず教育・医療を含むあらゆる分野を対象としたID管理体系を構築すべき

・情報システムの把握と公開
エストニアでは「RIHA」という管理組織が、各省庁のデータベースの情報を管理する。システムの管理体系を開示し、国民が知ることができる環境を作るべき。システム構築過程についても公開を基本とし、ベンダーによる囲い込みを排除する。

・情報交換基盤
各省庁や地方自治体などに分散的に点在するデータを交換・流通させるためには、総合的な行政ネットワークを構築する必要がある。将来における拡張を見越して、オープンで柔軟なシステムを構築すべき。

【技術支援体制】

高い技術力をもったエンジニアやプログラマーを抱える組織が行政イノベーションには必要となる。エストニアでは国家情報システム局の下にエストニア情報センター（RIA）という組織が置かれ、ここが具体的な開発業務を指揮する。異動の多い日本の官庁には専門家が育つ土壌がないため、省庁や自治体がベンダーの専横を許している。「これを打ち破るためには、国の組織の中に大手ICTベンダーと技術面で同等以上の人材を確保する必要がある」。

【普及戦略】

「電子行政サービスには『使われるための方針』が必要」。良いサービスも使われなくては意味がない。そのためには以下が検討・実施されなくてはならない。

・サービス展開の順序と説明
・利用環境の整備
・公的機関や政治家が率先して利用すること

References
『未来型国家エストニアの挑戦【新版】電子政府がひらく世界』ラウル・アリキヴィ、前田陽二
https://nextpublishing.jp/book/7228.html

効率的で自律的な経済圏

これは、おそらく経済の文脈においてもそうだと思うんです。

――と言うのは？

より効率的で自律性の高い経済圏をつくっていくために、地域内のリソースをうまく活用することによって地域内でさまざまなサービスや経済活動が生まれていくのをどうサポートし、どのようにそういった活動を刺激していくのかが行政府の重要な仕事になっていきます。コーポレートを主体とした経済ではなく、むしろ市民を主体とした経済を積極的に後押しすることで、より持続性の高い、地域に対しての貢献度も高い経済をつくっていこうという発想ですね。こうした経済のあり方は、「シビックエコノミー」と言われたりしています。先日イギリスを旅して音楽を中心に公民双方のさまざまな取り組みを見てきたんですが、たとえば、イギリスでも文化予算というのはどんどん厳しくカットされていて、学校でも音楽の授業なんかがカットされていってます。

――日本も他人事ではなさそうですが。

文化予算が厳しく制限されてはいますが、その一方で音楽や文化全般、もしくはスポーツといったものは社会の分断を超えていくための重要な資産と考えられていまして、とりわけ「孤独」というものが重要な社会課題として認識されている都市部では、社会のなかに文化やスポーツに触れることができるアクセスポイントをどのように広範に公正かつ安価につくっていくかが重要な課題とみなされています。116頁・コラム23

――でも行政府にはそれを賄うだけの余裕はないんですよね。

ですから、音楽に興味のある若い子らに音楽制作ができる空間を提供し、若いミュージシャンが自生的に育っていくようなプログラムを市民のなかでいかにつくり出していくかということに、行政府が積極的に関与しているんです。

――どういうことでしょう。

たとえば、ジャイルス・ピーターソンという有名DJが主宰するレーベルが行っている「Future Bubblers」というアーティスト発掘と地方創生とをセットにしたプログラムがあるんですが、これはもともとアーツカウンシルという行政府に近い組織が、ジャイルス・ピーターソン側に持ち込んだ企画だそうなんです。初期投資はアーツカウンシルが行うんですが、ある程度企画が自走できることが見えてきたら、自走するためのマネタイズのやり方や営業のやり方などを、アーツカウンシルの側からコンサルティングしているそうです。

――そうやって徐々に公共予算を減らしていって、民間でビジネスとして自走できるようにもっていくわけですね。

そうなんです。ここでも、「あとは自己責任ね」と民間にただサービスを放り投げるのではなく、民間や市民サイドで公共的な価値を保持していけるように、行政府が座組みやテンプレートをつくったり、必要な助言を与えたりと、かなりハンズオンなやり方で協力しているんです。途中まで伴走しながら必要なサービスを一緒につくりあげていくというイメージです。100頁・コラム19

――そうやって行政府が、小さいながらもダイナミックに、市民のなかに自律的な経済を活性化していくわけですね。

Column 19

UK発「ビッグ・ソサエティ」の遺産

そこまでひどいアイデアだったのか

大きい政府の失敗と小さい政府の挫折を乗り越えていく、新たなガバナンスモデルの提案として、2010年頃にイギリスから提案されたのが「ビッグ・ソサエティ」という概念だ。難しい言い方をするなら、その概念は「自由市場の考え方と、ヒエラルキーとボランタリズムを基盤にした社会連帯を結合したもの」とされ、保守的コミュニタリアニズムとリバタリアン・パターナリズム（温情主義）の混交から生まれたとされる。また、その起源は、18世紀の政治思想家エドマンド・バークの「シビル・ソサエティ」の概念にあるとも指摘される。提唱したのはのちに首相となる保守党のデイビッド・キャメロンで、首相となった選挙戦において初提出された。内容は以下の5つの特徴に集約される。

1. コミュニティに権限を与える：ローカリズムと権限移譲
2. コミュニティ内で市民がアクティブな役割を担うよう後押しする：主体的参加
3. 中央から地方政府への権限移譲
4. 生活共同組合、相互会社、慈善団体や社会企業を支援
5. 行政情報の公開：オープンで透明なガバメント

この理念を通じた施策は、キャメロン首相の在任期間の2010～2016年を通じて行われたが、キャメロン自身は、「ビッグ・ソサエティ」ということばを2013年以降用いなくなった。というのも、この政策理念はとても評判が悪かったからだ。「このコンセプトはうまくいく」と評価したのはわずか1割ほどの国民で、2010年の調査では、「ビッグ・ソサエティ」というアイデアは「公共事業を削減するための口実にすぎない」と考える人が57%を占めた。当時の労働党党首だったエド・ミリバンドは、「市民社会の再興という美辞麗句を用いて、コストカットを正当化しようとするシニカルな試み」「仮面をかぶった小さい政府」とバッサリ切り捨てたほか、「キャメロンが考える理想の社会は、国家というものが存在しないソマリアのようなものらしい」とも揶揄された。

また、ボランティア団体などからは、「そんなアイデアはとっくに実現されていて、行政府よりもすぐれたサービスを展開している市民サービスはいくらでもある」といった意見も見られた。英紙「フィナンシャルタイムズ」は、「英国が直面する問題のなかでも、犯罪率の低下や肥満の増加といった問題は、たしかに住民や市民の参加なくしては解決することはできない。ただし、市民が参加し貢献するスキルを身につけるための投資を政府はまったく行っていない。それがこの政策の欠陥だ」と書いている。

具体的な政策としては、ビッグ・ソサエティの施策を実装するプログラムへのファンディングを行う「The Big Society Bank」のローンチや、親や先生や慈善団体、企業などが学校を設立することができる「Free Schools」、16～17歳向けのソーシャルデベロップメントプログラム「National Citizen Service」などがある。また政権末期には、ソーシャル・インパクト・ボンドの多用なども謳ったが、2015年の総選挙における党のマニフェストでは「経済安定」と「ボーダーコントロール」が重要政策とされた。キャメロンは総選挙で勝利し首相を再任したが、「イギリスの欧州連合離脱是非を問う国民投票」の結果を受けて辞任した。

References

Big Society Speech—Transcript of a speech
by the Prime Minister on the Big Society, 19 July 2010.
https://www.gov.uk/government/speeches/big-society-speech

スモールビジネスを増やせ

二〇一六年のアメリカ大統領選において、いまでもとても印象に残っているものに、ヒラリー・クリントンが提案していた「テクノロジーとイノベーションに関するアジェンダ」があります。113頁・コラム22

――ほう。

それは、まず第一にこれからのアメリカの経済のど真ん中に「IT技術」を置くことを謳っていたのですが、それだけでは実は経済はよくなりませんし、ITビジネスはこれまでの生産業のようには雇用も生みません。そこでヒラリーは何を提案したかといえば、「ITを経済のど真ん中に」というのとセットで、「スモールビジネスの促進」を謳うんです。

――どういうことでしょう?

ITはビジネスインフラでもあって、そのインフラを利用することで、誰でも低コスト・低リスクでスモールビジネスを始めることができるようにしていく、ということです。これまでのコーポレート主導の経済では、企業が成長して雇用をたくさん生み出すことを目指していましたが、どんどん効率化が進む企業に雇用を増やせといっても、できない状況もあるわけです。となると、個人が自分の生活を自律的に持続させようと思ったら、自分で食い扶持をつくっていかなくてはならなくなります。

――「働き方改革」とか「副業解禁」って、実際はそうした流れのなかにあるものでもあるわけですよね。

まさにそうです。企業が雇用を担保できなくなってきたなかで、副業を解禁するのはいいんですが、とはいえ、じゃあ副業として何ができるのかといったら、現状においてさほどたくさんの選択肢があるわけでもない。アメリカではいわゆるギグエコノミーと言われるものがそうした副業の受け皿になっているわけですが、本当はそこにもっとたくさんのオプションがあるのが望ましいわけです。たとえばオンライン決済の導入がもっと簡単になり、在庫管理や発送業務がもっと簡便化できるようなサービスがリーズナブルな額で使えれば、副業でECを比較的楽に始められるようになります。そうしたITサービスを、人がどんどん使えるようになれば、起業のハードルを下げていくことができる。スモールビジネスの振興というのは、そういう意味なんです。海外では経済振興のためのひとつのキーワードとして、「アントレプレナーが生まれる土壌をつくること」がとても重視されていますが、それは、自国からユニコーン企業を生み出していこう、ということだけを意味しているわけではありません。むしろ、企業が雇用を生み出せなくなった時代において、市民の食い扶持をどう確保するかという問題意識からスモールビジネスを生み出していけるような土壌をつくることのほうを重視しているように感じます。

——そこは広く誤解がありそうですね。アントレプレナーというと、どうしても意識の高いITスタートアップを思い浮かべてしまいます。

そうなんですよね。たとえば、ダンス好きの若者が簡単にダンス教室を経営できるようになるとか、料理好きのサラリーマンが低リスクで小さなお店やフードトラックを始められるとか、コーヒーショップを始められるとか、そういうことだと思うんです。とりわけ中央集権的な大規模チェーンによるフランチャイズモデルが変更を余儀なくされているいま、「ネットワーク化された自律的なスモールビジネスの振興」というアイデアは重要だと思います。

——いいですね。そう言われると少しは希望のある話にも聞こえます。

ロンドンのブリクストンというエリアに「Pop Brixton」という面白い商業施設／コミュニティスペースがあります。これは行政主導で行ったエリア再開発で、積み上げたコンテナに、小さな飲食店やレコード屋さんやラジオ局や、スタートアップのオフィスが入っています。駅の目の前にあって人が絶えず行き交う空間になっていますので、たとえば飲食店を始めたい人は、ここで小さな出店からスタートできます。一からお客さんを集めなくても、すでに施設自体に集客力がありますから、おいしいと評判になればすぐにお客さんが付きます。「Pop Brixton」からは、そうやって人気になってロンドン中に複数の店舗を構えるまでになった飲食店もあるそうです。「アントレプレナーが生まれる土壌」って、こういうことだと思うんです。

——まさにプラットフォームですね。

初期コストも低く、最初のお客さんもプラットフォーム側が連れてきてくれるわけですから、リスクも少なくて済みますよね。お客さんも楽しいじゃないですか、そうやって新しいお店やレストランの成長に立ち会えるのって。そうやって、ビジネスの環境や条件を、これからの時代の経済のあり方に沿うかたちで整えていくことは、国だけでなく、地方行政府においても重要な仕事です。こうした空間こそが経済インフラなわけですから。インドのデジタル公共財も、本来的には、APIの利用を通じて草の根のアントレプレナーを生み出していくようなことが想定されています。

——とはいえ、空間やツールをつくったらそれでおしまいというわけにもいきませんよね。

先ほども言ったように、こうした「シビックアントレプレナー」たちが成長していく過程を行政府は伴走しなくてはなりませんから、成長を促すためのノウハウが必要になります。そこが、おそらくいまの行政府にも、銀行をはじめとするビジネスサイドにも欠落しているものかと思います。人を成長させていくノウハウがないんです。105頁・コラム20

——どこかの地方の信用金庫が、eコマースのバンクエンドを提供する「Shopify」という企業と提携した、なんていう話を最近見ました。

地方銀行なんかが起業の元手となるツールとセットで、起業を金銭的にもバックアップしてくれるようになると、それをもって個々人が自活できるような道筋も太くなっていくかもしれません。ただそのためには、多くの実験や失敗を重ねながらノウハウを蓄積していくことがとても大事になってきます。そこをすっ飛ばしていきなり正解を求めると、こうした取り組みはすぐに頓挫します。大工場を誘致して雇用を確保するといった従来のやり方と、こうしたハンズオンな経済振興は、まったくちがうものです。工事の誘致よりも、もしかしたらはるかに時間も手間もかかるかもしれません。

——そんな余裕はない、との声も出てきそうですが。

だからこそ事務的な処理業務を効率化しなくてはならないんです。これからの行政府ははるかに手間も時間もかかる仕事に取り組んでいかなくてはならないんです。しかも人手を増やせないという制約のなかでそれをやらなくてはいけないわけですから、紙の書類をスキャンしてデジタル化してる場合じゃないんです。特に地方公務員はそうやって市民のなかに入っていって、市民の自立をさまざまな観点から促しサポートしていくことが大切な仕事になっていきます。

分散主義と循環経済

これはまたちょっと違う話なんですが、いまから七〜八年くらい前に面白いプレゼンテーションを見たことがあります。スコットランドの北の沿岸地域のウィスキーの醸造所に関するものでした。

——ほお。

その地域にあるウィスキーの醸造所が一体どこから「ビン」を調達しているかを調べてみたところ、わかったのは、多くの醸造所が、遠く離れたエジンバラの工場からビンを購入していたということなんです。しかも、それぞれの醸造所は、

Column 20

素晴らしきシビックエコノミー
市民起業家たちがもたらすオルタナティブな経済モデル

2014年に日本版が刊行された『シビックエコノミー ～世界に学ぶ小さな経済のつくり方』（フィルムアート社）は、市民起業家の手によるオープンでパブリックな事業を通じて、株式会社主導による資本主義経済のオルタナティブを提示する、ためになる本だ。その本の原書の初版に「まえがき」を寄せているのは、100頁で取りあげたデイビッド・キャメロンだ。「これらがもたらしているのは、実体のあるほんとうの利益だ」とキャメロンは語る。「コミュニティが所有するパブ兼ショップ兼図書館」「若者のたまり場になった広告代理店」「社会的企業になった博物館」「ソーシャルベンチャースーパー」など、同書には社会政策と経済政策と文化政策と福祉政策の交差点に位置しながら、官民の境界を融解してゆく、ユニークな「ビジネス事例」が紹介される。

同書によれば、シビックエコノミーは何も最近のものではないという。産業革命がもたらした社会変革のなかで、19世紀イギリスは、協同組合、互助団体、友愛組合、職工組合といった組織を生み出した。現在注目を集めるシビックエコノミーは、そうした過去の遺産を、1世紀以上の時を経て新しいやり方で目覚めさせるものでもある。同書はその動きを後押しする要因として、以下の4つを挙げている。

〈シビックエコノミーを後押しする潮流〉
- 公共財や公共サービスは利用者と供給者が共創するもの、という原則が確立されつつある。
- 民間部門に価値観主導の私企業が増え、CSRの枠を超えて、本業を通じて社会や環境の問題を解決しようとしている。
- 組織内および組織間の革新的な働き方がより良い成果をもたらし得ることがますます認められつつある。
- 1つの目的のために集まったグループやネットワークを通じて、人々がデジタル、物理的両空間における文化的商品などの（共）創造に直接的に関わる傾向が社会全体に見られる。

こうした社会変化を受けて発展しつつある「シビックエコノミー」をさらに成長させていくための具体的なプロセス・手順を同書は「行動ガイド」としてこうまとめている。

8つの行動ガイド

1. 市民起業家を見つける
2. コンサルではなく参加—市民に共創を呼びかける
3. 共に出資・投資をになう—資金調達を多様化させる
4. すでにある資産を再活用する
5. 場所の体験—物理的・社会的な条件を設定する
6. ゴールを決めないアプローチ—自然発生を促す枠組み
7. ネットワークの力で変化を起こす—スケールさせる
8. 「変化」を指標化する

References

『シビックエコノミー　世界に学ぶ小さな経済のつくり方』OO
http://filmart.co.jp/books/architecture/civic_econom/

隣の醸造所が自分と同じ工場からそれを調達していることを知らなかったんですね。

——面白い。

「なあんだ」ってなるじゃないですか。これまで、個々にビンを発注して個別にそれを輸送していたことを考えると、そこには非常に大きな無駄があることもわかります。

——はい。

そこで、彼らはどうしたかというと、エジンバラにあったビン工場を、自分たちの地域の近くに移転させた、と言うんですね。

——なるほど。面白いですね。

たしかそのときに、シカゴ市がそうした視点から、いま一度シカゴ市内にある小さな工場のリサーチを行うと言っていたと思います。その後どうなったかはわからないのですが、要は、シカゴ市内にあるさまざまな工場が部品などをどこから調達しているかを洗い直してみて、もし同じものを提供できる会社がシカゴ市内にあるならば、そこに発注するように促していくと、そういうアイデアだったと思います。

——広域に広がってしまっているサプライチェーンを、自分のエリア内にあるもので組み直して、コンパクト化するということですね。

〈サプライチェーンを小さくする〉
遠い場所から資源を調達するのではなく、近くで調達して商圏を小さくコンパクト化する

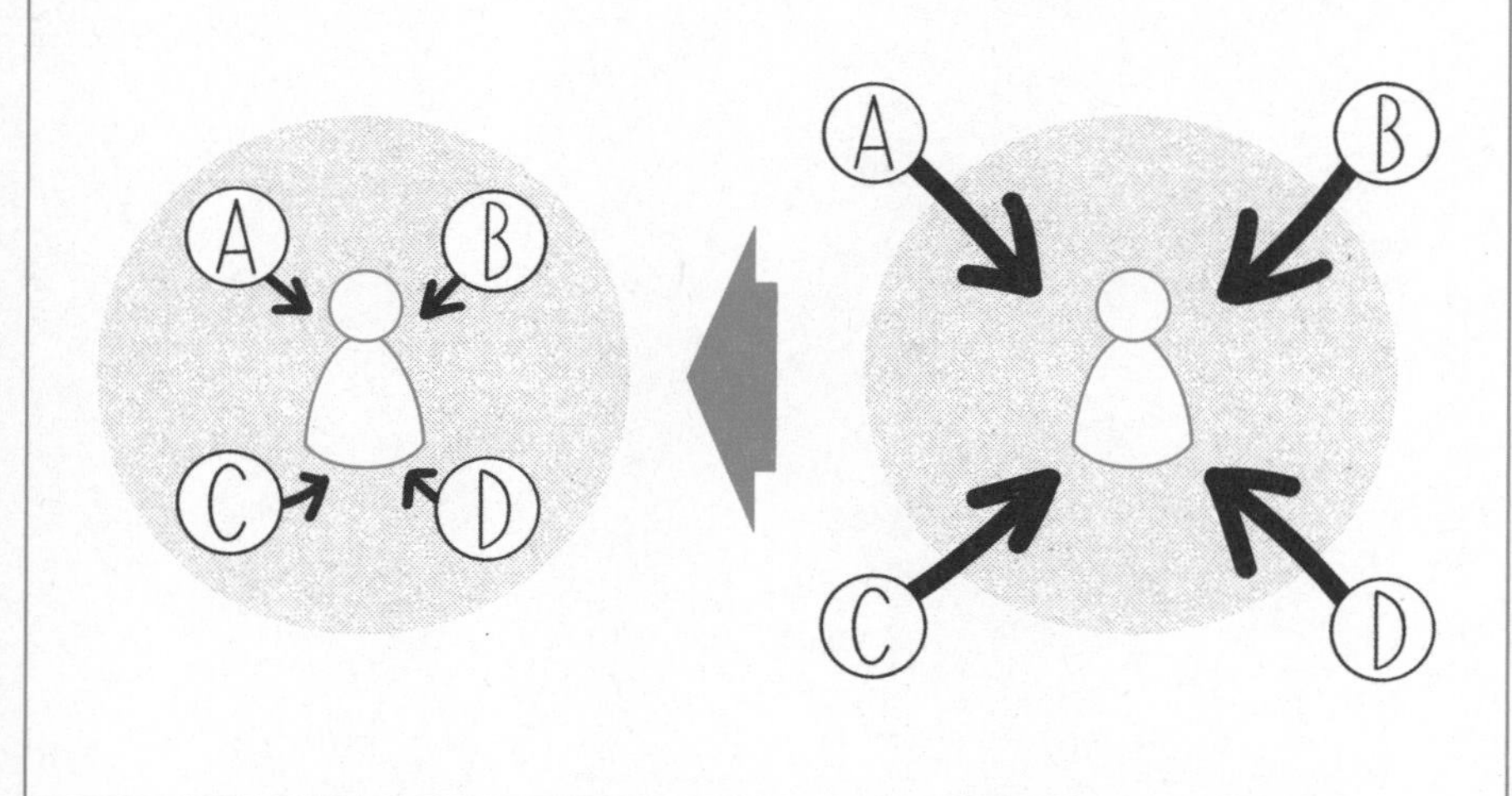
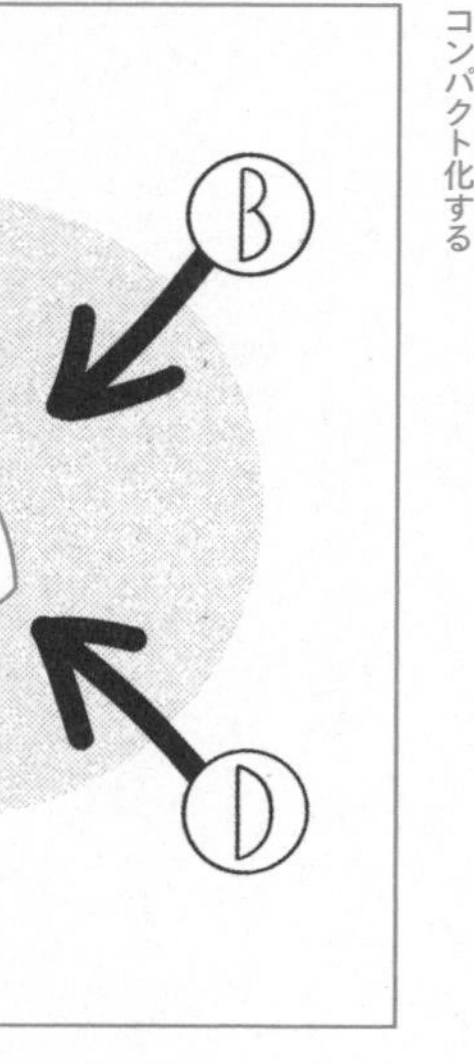

まさにそうです。物資の流れをコンパクト化することは、CO_2エミッションの観点からも重要なのですが、お金の流れを策定された圏域内をめぐるようにするという考え方は、より重要だと思います。

――そうですね。

もうひとつだけ似たような例を挙げましょうか。これはアメリカのテック・メディア批評家で、「デジタル分散主義」という考え方を提唱しているダグラス・ラシュコフがアメリカの鉄鋼労働組合について書いていることです。これもまた循環経済のひとつのモデルといえるかと思います。ちょっと長いですが、引用してみます。

――はい。

「二〇〇七年の株価暴落によって、鉄鋼労働組合は、年金基金の新たな投資先を探していた。S&Pインデックス・ファンドに預ける代わりに彼らが思いついたのは、素晴らしくも循環的なアイデアで、彼らは鉄鋼労働者の雇用を生み出す建設プロジェクトに投資をすることにしたのだ。エクイティをもたらしてくれるだけでなく、同時に賃金として自分たちにお金が還元されるプロジェクトに、彼らは投資することにしたのだ。こうした戦略は、分散的なやり方で情報を循環させ、リソースを蓄えることよりもシェアすることを得意とするデジタルネットワークと相性がいい。デジタルネットワークは無限に拡張するものではなく、むしろ境界をもち、そのなかにおいて自律的に動く」(『NEXT GENERATION BANK 次世代銀行は世界をこう変える』黒鳥社刊)

――なるほど。これも面白いですね。

同じような例で、シカゴ市の財務局は、積み立てた市民の年金をただ利回りのよい投資先に回すのではなく、社会改善に役立つ企業や団体にだけ投資をする、いわゆる「インパクト投資」にのみ回しているそうなんです。お金という資源を、

Column 21

2025年、地方政府のデジタルビジョン

英国のイノベーションラボ「NESTA」によるリサーチより

105頁で紹介した書籍『シビックエコノミー』のリサーチには英国のイノベーションラボ「NESTA」が深く関与している。NESTAは、「クリエイティブエコノミー＆カルチャー」「教育」「ヘルス」「イノベーション政策」「未来スコーピング」に加え、「ガバナンスイノベーション」の領域においても、広範かつ深い洞察に満ちたリサーチを数多く発表している。なかでも2016年3月に発表した「Connected Councils: A Digital Vison of Local Government in 2025」（つながった議会：地方政府のデジタルビジョン2025）は、これからの行政府の目指すべき道筋を端的に示すものとして大いに役に立つ。簡単にサマリーしておこう。

2025年の地方行政府

サービスはシームレスに

2025年にはほとんどすべてのやり取りはオンラインで行われる。あらゆる行政サービスはシームレスに統合され、市民はデジタルIDを通じてアクセスする。行政府のウェブサイトはサードパーティのアプリやサービスが実装されるプラットフォームになっていく。

人と人をつなぐサービス

高齢者のための福祉やソーシャルケア、チャイルドケアといったオンライン化できない対面サービスのコストを抑え、同時にサービスを改善するために、デジタルテクノロジーを有用化する。リモートによる診断や予測アルゴリズムは、問題が起きる前に行政がアクションを起こすことを可能にする。

コミュニティ経済を活性化する（Place Shaping）

デジタルを用いた市民参加によって、新しいやり方でローカル経済を活性化する。地域のスモールビジネスを活性化し、公共事業を地域内で回し、市民参加を促すクラウドソーシングや予算の配分をオンラインで合議するような仕組みの実装なども行う。

役所内をアップデートする

行政府はテック企業のように、リーンでアジャイルでデータドリブンになっていく。パートナー組織やプロバイダー、市民コミュニティの広大なネットワークの中心にあって仲介者・イネイブラー（enabler＝他人の成功・目的達成などを可能にする人）の役割を果たす。プロジェクトベースの働き方が主流となり、市民や民間企業、あるいは他の行政組織間で、人的・物理的・空間的なリソースをシェアしていくようになる。

こうしたビジョンを5年後（レポート発表時からは10年後）に達成するために、NESTAは、以下の6つのアクションをいますぐにでも起こすことを推奨している。

いますぐやるべきこと

1. バックオフィスのデジタル化を2020年までに完遂する
2. 行政データのオープンスタンダードを策定する
3. 行政サービスに利用可能なデジタルプロダクトのマーケットを創出する
4. 地域内にデータアナリティクスを行うための組織を設置する
5. デジタルサービスへの全市民のアクセシビリティを実現するために投資する
6. データシェアやアルゴリズムを用いた意思決定の倫理ガイドラインを策定・公開する

References
"CONNECTED COUNCILS—A DIGITAL VISION OF LOCAL GOVERNMENT IN 2025"
https://media.nesta.org.uk/documents/connected_councils_report.pdf

なんでもいいからとにかく利益を増やすために使うのではなく、自分たちが所属する圏域や支持する価値観のなかで循環させる、という考え方を実践しているわけです。ラシュコフの指摘の大事なところは、循環的に資金なり資源なりを回していくというアイデアのみならず、そうやって「限定された圏域」のなかで循環させることとデジタルのネットワークはとても相性がいいというところなんです。132頁・コラム27

——意外な気もしますが、相性いいんですね。

デジタルネットワークは閉鎖系である

この指摘はとても重要なものだと思います。デジタルネットワークって、無限に広がることが可能なオープンなものだと思われがちなんですが、それって半分だけしか当たっていません。無限に広がっていてオープンではあるのですが、同時にその瞬間ごとに閉じていく、というものでもあるんです。

——どういうことでしょう。

たとえばSNS上に一〇〇万人のフォロワーをもつセレブがいたとしますよね。それをフォローする人はたしかにいつでもフォローをはじめたりフォローを解除したりすることができるのですが、一方で、そのすべてのフォロワーが、ひとりひとり個人を特定できるかたちでそのセレブのアカウントとつながっていますから、どんなに人数が増えても、それはどこまでいっても「会員制のクラブ」なんです。個人が特定できないぼんやりとした「マス」ではないんです。

——要は囲い込んでいるわけですよね。

そうなんです。「フィルターバブル」ということばがありますが、SNS上のつながりによって自分の目に入ってくるものが狭められてしまうことが起きるのは、とりわけSNSというものが、閉じていく特性を持っているからです。それは逆に言えば、そもそもが閉じたネットワークのなかでは、むしろその特性が有効に働くということですから、会社やある特定の部署内でのプロジェクト管理には非常に向いています。そういう意味では、ある境界内部での情報の共有に特化したSlackのようなツールは、むしろ本来的なあり方なんだと思います。閉じたネットワーク内でのコミュニケーションのためには、むしろフィルターバブルは必要なものですから。

——たしかにそうかもしれません。

そう考えると、コミュニティSNSや自治体SNSといった考え方は、むしろ理に適ったものと言えるように思います。メンバーが流動しながらも固定しているわけですから、その集団を束ねるのにこれ以上有効なものはない、とも言えるほどです。

——そうやって、仮に市民がSNSによって束ねられたら、SNS上に村や町の集会所ができるような感じになりますね。

コミュニティということばがとても広く使われるようになり、重要なものとして考えられるようになったのには、こうしたデジタルネットワークによって閉じた圏域がつくりやすくなり、かつ、それが可視化されるようになったことが大きく作用していると思います。ですから、そうしたテクノロジーの基盤を前提として社会を再想像しようとなれば、必然的に、従来あったコミュニティと新しいタイプのオンラインのコミュニティを接続させるアイデアが必要になってくるかと思います。

私的領域と公的領域の再策定

――とはいえ、そうやって国や自治体によってＳＮＳで管理されているのは、ちょっと気味の悪さも感じます。

おっしゃる通りですね。そこでは当然安全面、つまりプライバシーを保護するための制度づくりが欠かせませんし、ヘイトを持ち込むような市民をどう扱うのか、といったこともとても大きな問題となります。民間サービスであればそうしたユーザーはきっぱりと排除できますが、公的なサービスであればそうはいきません。デジタル空間内の「公共圏」をつくる作業は、実際のところまだ始まったばかりですから、そのなかで市民がどう振る舞うべきなのかといったことは、これからみんなでその基準みたいなものを模索しながら身につけていく努力をしなくてはなりません。行政サイドもそうですし、わたしたち市民の側もそうです。行政サイドも当然、そうした空間のなかでどう機能しどう振る舞う必要があるのかを、さまざまな試行錯誤のなかから見出さなくてはいけません。一方で市民の側も、「行政＝お上」という発想をまずは捨てないといけないのかもしれません。

――「なんでもお上がやってくれる」という発想に慣れ親しんでしまっていますもんね。自分も含めてですが。

「税金払ってるんだからちゃんとやれ」というのは、もちろん正しい言い分ではあるんですが、税金を払ったらあとは全部私的な活動、というのも、やはりちょっと乱暴かもしれません。行政府というのは、国家の一部ではあるのですが、その国家というのがなにかといえば、少なくとも民主的な政体においては国民そのものなわけですから、原理原則をいえばそこには統治者と被統治者という関係性はなくて、一体であるはずですよね。

――そう言われると、昔の地域共同体は、公的な領域と私的な領域とがあまり分かれていなかったのかもしれませんね。それが地続きになっているというか。

とはいえ、実はいまでも多かれ少なかれ、そうした活動は行われているんです。ちょっと前に、人口二万人くらいの町の青年会の方々とお話しする機会がありまして、そこで「普段やっている公的な活動って何ですか？」って聞いたことがあるんです。そしたら「回覧板を回す」とか「空き地の草刈りをする」とか「道路のゴミ拾いをする」とか、そういったことをほとんど全員がやっていたんですね。ただ、それも青年会という組織があって、そうしたものに参加しているからかろうじてそうした事業が営まれているわけで、青年会や町会や自治会といったものにそもそも参加しない人が増えてくると、そうした人たちは、たとえ草刈りに参加してもいいと思っていたとしても、いつどこでやってるのかもわかりませんから、結局どんどん疎遠になってしまい、そうやって疎遠になっていく人が増えていけばいくほど青年会もしぼんでしまいますから、放っておくと誰も草刈りやゴミ拾いをやらなくなってしまう可能性が大いにあります。

――どうしたら、その負のスパイラルを変えることができるのでしょう？

たとえば回覧板って、なんでいまだにアナログでやってるのかって思うじゃないですか。

――そうですね。比較的簡単にデジタル化できそうですもんね。

青年会のみなさんとの席でも「これ、アップデートできますよね？」って聞いたら、みなさん「そうですよね、SNSでいいんですもんね」って言ってましたから、それってたぶん誰でも思いつくことなんだと思うんです。そういう小さなことから始めるのが大事なんじゃないかと思うんです。で、そうやって小さくてもいいのでタッチポイントを増やしていくと、ユーザーが情報を得るコストも下がりますし、そのチャネルを使って別のプログラムの案内通知や告知もしやすくなっていきます。そうするとさっきお話ししたように、そのサービスプラットフォームを使って投票ができたり、納税できたり、引越しの届出をしたり、家やクルマを購入したときの手続きをしたり、役所に意見を言ったりといったことができるようになっていくかもしれません。

Column 22

ヒラリー式、経済政策としてのスモールビジネス
テックエコノミーのための裏アジェンダ

ドナルド・トランプを大統領にした2016年の選挙で、民主党の対抗馬ヒラリー・クリントンは、膨大な政策アジェンダを発表したが、なかでも「テクノロジー＆イノベーション」に関するアジェンダは注目すべきものだった。ヒラリーは「テックエコノミーをメインストリートへと引き上げる」ことをまず謳い、いかにしてそれを実現するかを、以下のように説明している。

〈テックエコノミーを実現するために〉

- 科学技術とSTEM教育への投資
- 21世紀の働き方に見合った生涯教育システムの開発
- スモールビジネスやスタートアップ、特に女性、マイノリティ、若年の起業家の資金調達へのハードルを下げること
- 世界中の優秀な才能を惹きつけること
- 科学技術の研究開発、またはデジタルトランスフォーメーションへの投資
- 柔軟でポータブルで包括的な労働者の福利厚生

このなかで目を引くのは「テックエコノミーをメインストリートへ」というビジョンが、いわゆるユニコーンを生み出すことではなく、むしろスモールビジネスの振興を通して実現されるとみなされている点だ。かつてツイッターとスクエアの創業者ジャック・ドーシーは、ニューヨークではすでにチェーンのコーヒーショップよりも、インディペンデントなコーヒーショップのほうが数が多いといったことを指摘していたが、巨大資本によるチェーン店が増えることよりも、ユニークな独立系が数多く増えていくことのほうが、マーケットの多様性の観点からも、もしかしたら雇用という観点からもメリットが大きいのかもしれない。ヒラリーは、スモールビジネスに関するアジェンダを独立した項目として立てており、そのなかで熱を込めて、スモールビジネス振興に向けた優遇策をこう謳っている。

〈スモールビジネスの振興策〉

- 開業資金の調達をしやすくするためにコミュニティバンクや信託組合などに働きかける
- 起業する学生の学生ローンの返済延期や無利子化
- 起業プロセスを簡略化するために地方政府に働きかける
- 決算や納税手続きの簡略化、税優遇
- ヘルスケアや福利厚生をカバーする
- 参入障壁を下げる
- 大企業による搾取や不当な取引を規制する
- スモールビジネス起業家の支援（メンタリング・インキュベーション・トレーニング）
- スモールビジネスに対してオープンな行政府になる

日本でも、働き方改革などで「フリーランス化」はよく語られるが、フリーランス化した人たちに対してどのような「経済振興策」が用意されているのかははなはだ不明瞭だ。スモールビジネス振興というプログラムは、社会政策としてのみならず「経済政策」「テック政策」としても不可欠であることはもっと語られていいはずだ。

References
"Technology and innovation" The Office of Hillary Rodham Clinton
https://www.hillaryclinton.com/issues/technology-and-innovation/

――そうですね。

ITビジネスの世界では「ユーザーエンゲージメントを高める」という言い方をしますけれど、そこではとにかくアプリを開いてもらう頻度をいかに上げていくかが大事になります。ですから、サービスデザイン、操作性のデザイン（UI）や、使い勝手のデザイン（UX）をいかに磨き上げるかが勝負になるんですね。その考え方を、行政府はもっと貪欲に導入すべきだと思います。

――いまの役所のシステムや行政のシステムは、まったくユーザーフレンドリーじゃないですね。いまだに配給制というか。役所の都合に合わせてこちらが列に並んで、サービスを受けられるまで並んでないといけない。

これまでのやり方ですと、定時で働いている人は、役所に行こうと思ったら半休を取らないとダメじゃないですか。じゃあ一体誰が営業時間内に役所の窓口に行けるのかと言えば、家庭の主婦か仕事をリタイアした方ぐらいしかいませんでしたから、そう考えると、これまでの役所では、いかに古い家族像や古い働き方を想定してサービスの設計がなされていたかがよくわかります。共働きやシングルマザー／ファーザーが珍しくもなく、働く時間や働く場所もどんどん選択的になっているなかで、より柔軟で臨機応変な対応を市民は求めているわけですから、それに応えようと思えばソフトウェアをアップデートする以外やりようがないはずです。

――デジタルのソフトウェアは、二四時間三六五日つながることができますから、自分の都合に合わせてアクセスして、サービスを受けることができます。

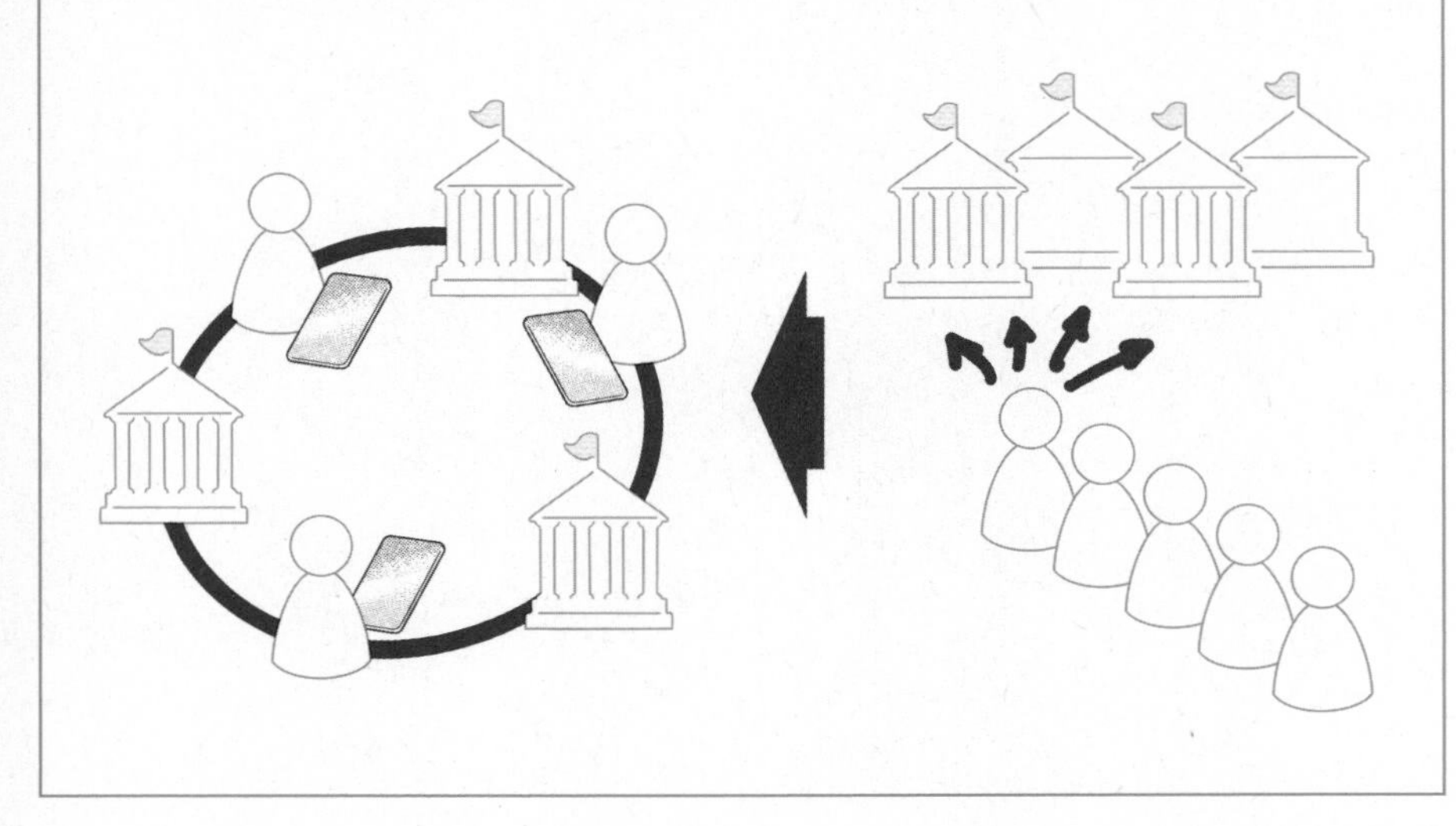

〈いつでもどこでもガバメント〉
ネットワーク化されたガバメントには、いつでもどこからでもアクセスができ、いつでもどこからでもサービスを受けることができる

分散的かつ個別的に、その人に応じたサービスをつくることができるのが、デジタルテクノロジーの最大の強みです。それは、配給制とは真逆の考え方ですよね。

新しい「信用」のかたち

——インターネットでつながった末端の主体が相互的にサービスを提供しあえる、いわゆるピア・トゥ・ピア（P2P）という考え方は、中央に管理・計画の主体があって、そこから一方通行的に国全体、もしくはある地域全体にサービスなりを配給していくというやり方とは、本当に好対照ですね。

個人と個人がピア・トゥ・ピアでつながることで、新しいサービスをやりとりすることができるようになった例では、オークションサイトなどが、わりと初期に一般化したものだと思うのですが、こうしたサービスの登場によって、見知らぬ他人とモノやお金をやりとりすることができるようになりました。とはいえ、相手は初めてコンタクトする赤の他人ですから、相手が本当にモノを送ってくるのか、あるいはお金をちゃんと払ってくれるのかといったところで、どうしても最初は不安がありますよね。ですから、オークションや中古品の販売サイトの場合ですと、買い手・売り手の相互のアクションをサービスプロバイダーであるプラットフォームが、両者をモニタリングして問題が起こらないように調整してあげる必要があります。商品がたしかに発送されたことが確認されるまで、お金は振り込まれないように支払いのタイミングを調整する、といったことが行われます。また、そのやり取りが円滑なものであったかどうかを取引者同士で相互的に査定させるといった仕組みなども導入し、やり取りに不備や不信を引き起こさせる行動があった取引者は、査定のポイントが下がっていくことで、徐々に取引相手としてマーケットプレイスから排除されていくことになります。こうした評価システムは「スコアリング」と呼ばれるもので、見知らぬ人同士がつながるインターネットにおいて「信用」をつくりだす仕組みとして広く有用化されています。こうした取引のあり方は共感を軸とした経済においては大きな武器になりますので、公共サービスへの導入も検討されてよいものだと思います。

Column 23

孤独という疫病

英国政府の初の「対孤独戦略」が語っていること

企業が地域コミュニティにおける「ムラ」の役割を果たし、社会的・文化的な紐帯の役割を担っていた時代が過ぎていくと、企業経済からドロップアウトした瞬間に、社会的な居場所を失うことになる。100万人存在すると言われる「引きこもり」のうち60%を中高年者が占めるという衝撃的な状況は、企業ムラが失われ、代替的な社会組織が存在しないなか、さらに重い課題となっていく。国土交通省のレポートによれば、「最後の砦」でもある「家族」という扶助単位も減少の一途をたどっている。

世帯類型別の世帯数の推移を見ると、2015年時点で、1326万世帯あった「夫婦と子」で暮らす世帯は、2050年には745万世帯にまで減るとされ、逆に単独世帯は2015年時の1656万世帯から約1800万にまで伸びると予測され、単独世帯が最大マジョリティとなるとされている。また、単独世帯のうち5割以上を高齢者が占めることにもなる（総務省「国勢調査報告」、国土交通省国土計画局推計値をもとに同局作成のデータより）。

こうした観点から、「孤独」という問題が大きな社会問題としてクローズアップされることになる。これは何も人口減少・高齢化に苛まれる日本に限った問題ではない。むしろこの問題は欧州で前景化しており、英国が2018年に孤独担当相を置いたのを皮切りに、ドイツ政府も同様のポストの設置を検討し始めている。「見えないパンデミック」と称されるほどまでに「孤独」は公共政策上の重要課題とみなされている。

英国初の孤独担当相に任命されたトレイシー・クラウチは、孤独という問題が、「タバコ、肥満と並ぶヘルスケア政策上の重要課題」とみなしているが、言うまでもなく、「孤独」は映画『ジョーカー』が描き出したように、ヘルスケアのみの問題ではなく、ソーシャルセキュリティの観点からも重大な意味をもつ。孤独の問題に取り組んでいた英国労働党のジョー・コックス議員がテロによって殺害され、その遺志を継ぐかたちで孤独担当相というポストが生まれたことは問題の射程を端的に表している。

2018年に英国政府が提出した初の戦略は「A connected society -A strategy for tackling loneliness」と題され、84ページにわたって詳細に「孤独という疫病」との戦い方を描いている。ここではその内容ではなく、まずは戦略策定がどのようなプロセス、考え方に基づいて行われたかを紹介したい。「孤独」は、これまでのようなトップダウンの配給型のソリューションがまったく役に立たない課題だ。「孤独な人に行政が友だちをつくってあげることはできない」。クラウチ大臣はこれまでの行政のアプローチの限界をそんな言い方で表した。

〈対孤独戦略のつくり方〉

- ビジネス、医療機関、地方政府、ボランティア組織、市民社会と協働すること。政府はそれらをとりもつ重要な媒介者であると考えること
- さまざまな実験を繰り返し行い、そこから学ぶこと。現状のデータやエビデンスは十分でないと常に認識すること
- 部門、領域横断的で横串のアプローチが必須
- 何が人を孤独に陥らせ、そこからの脱却を可能にするトリガーになるのかを重視し、予防的な施策を講じること
- 孤独という課題のもつ主観性や複雑さを十全に鑑みて、パーソナライズされたローカルなソリューションの重要性を認識すること

References

"A connected society—A strategy for tackling loneliness"
Department for Digital, Culture, Media and Sport
https://assets.publishing.service.gov.uk/government/uploads/system/uploads/attachment_data/file/750909/6.4882_DCMS_Loneliness_Strategy_web_Update.pdf

――配車アプリのUberや、民泊サービスのAirbnbなどでも、P2Pの相互スコアリングシステムが導入されていますね。

Uberの場合を考えてみると、「信用」というものが、社会のなかでこれまでどういうふうにかたちづくられてきたかがよくわかります。たとえばタクシーというものは、いまとなっては非常に安心な乗り物として理解されていますが、歴史的にみると必ずしもそうでなかった時代がありまして、昭和四〇年代に、乱暴運転や乗車拒否などを監視・防止するために「東京タクシー近代化センター」という組織がつくられたほどです。現在は「東京タクシーセンター」と改称して、タクシー運転手の登録、指導、研修、試験や、苦情、要望、忘れ物の受付や処理などを行っています。

――近代化って名前がすごいですね。それまでのタクシーは「近代以前」だったってことですね（笑）。

当時のタクシーが実際どの程度のものだったかはわかりませんが、少なくとも「近代化」が必要だと行政レベルで判断されるわけですから、十分に「信用」に足るサービスでなかったことは窺えますし、実際に当のタクシー運転手からすると近代化センターというのはかなり怖い組織だったそうで、ここに目をつけられると営業できなくなると戦々恐々だったと、古株の運転手さんに聞いたことがあります。

――そうした徹底した管理があったことによって、タクシーサービスが老若男女を問わず誰でも安心して使えるサービスになっていった、ということなんですね。

ということはつまり、タクシーは私的な交通手段というよりは、公的な交通手段とみなされてきたということで、であればこそ価格が長いこと一律化されてきましたし、行政の厳しい管理の下に置かれてきたわけですね。ところが、それが自由化され、さらにUberのような認可を必要としないサービスが出てくるようになると、少なくとも日本のようにそれを公的に管理してきた地域では困ったことになってしまいます。業界全体で非常に高いコストをかけてサービスの信用や信頼性を築いてきたのに、それがいきなり反故にされてしまうことになるわけですから。タクシー業界がUberに反対するのは、当然といえば当然です。

――インターネット的なことばで言えば、これまで中央管理者がいて、その管理者の下で構築されてきた「信用」がディスラプトされて、すべてが白タクみたいな状況になってしまうわけですもんね。

そうなんです。せっかく近代化したのに、近代以前に戻ってしまうわけです。とはいえ、最初からお話ししているように、中央管理者が末端にいたるまですべての安全を担保するというのは、非常に高いコストがかかりますから、いずれどこかでこうした新しい仕組みを採用せざるを得なくなりそうです。実際、Uberのような仕組みは、交通が不足したコミュニティ内における相互扶助的なサポートシステムとして有用だと思いますので、完全に否定するのはもったいない。ユーザーの利便性においてはタクシーなんかより圧倒的に高いわけですし。ただ、その一方で、アメリカでは、こうしたシェアライドサービスの運転手の待遇が不透明で不公正であるということから大規模な抗議が行われ、カリフォルニア州を筆頭に、Uber運転手とプラットフォームの間での雇用関係をいま一度明確にする動きが強まっています。それが安心・安全で信用に足るサービスであるためには、ユーザーに対する安心・安全の確保ももちろん重要ですが、同時にプラットフォームに参画しそこでビジネスを行う働き手に対する安心・安全の確保も重要になっていきます。

――日本でもUber Eatsの配達員が組合をつくったなんてニュースもありました。

信用スコアは誰のものか?

ここでの問題は、新しい信用の仕組みである「信用スコア」のような制度を、プラットフォーム企業が自分たちの利益のために濫用したところにあります。これは、いわゆるGAFAによる個人データの利活用ともつながる問題ですが、インターネットというものがもはや公共的なインフラの役割を果たしつつあるなかで、避けては通れない重大な問題になってきています。信用スコアの問題において重要なのは、取引前の承認と事後の評価のバランスをうまくとってマーケットをデザインすることですから、そうした事前の承認部分を行政府がやるということもアイデアとしてはありえます。

——個人データを誰がどのように保護するかという話ですね。

GAFAのような独占的なプラットフォーム企業は、もはやそのプラットフォームに参加をしないことには社会生活を送れないほどの影響力をもってしまっているわけですが、あくまでも民間のビジネスですから、そこに参加するユーザーを選別したり、参加のための条件を企業としては自由に設定することが可能です。ただ、もはやライフラインと呼んでもいいようなサービスを私企業が牛耳ってしまいますと、ユーザーはどんな不利な条件を課せられても、それに従うしかなくなります。また、個人データを企業が濫用し、そのことによって彼らがビジネスをより自分たちに有利に仕向けただけでなく、政治に介入することまで許してしまったのがケンブリッジ・アナリティカの事件だったわけです。そうした問題をEUでは長いこと指摘してきたのですが、それが結実して二〇一八年に「GDPR」という法律の適用が開始され、プラットフォーム企業によるデータの濫用に対して一定の規制が加えられることになりました。これは、総じて言えば「データは誰のものか」という議論なのですが、言い方を変えると「インターネットは誰のものか」という議論にもなります。

——ふむ。

私企業によるデータの独占は望ましくないという道筋は、GDPRを通じてある方向性がつくられはしましたが、とはいえインターネット空間のなかでの活動というのはどうしたって誰かしらによる監視が可能な空間なわけですから、たとえば警察とか税務署などが、誰かの個人データを勝手に監視したり、覗き見したりするようなこともできてしまうわけです。スノーデン事件というのは、アメリカのNSA（アメリカ国家安全保障局）が組織的に国民監視を行っていたことを暴いた事件で、世界的にも大きなインパクトがあったわけですが、そのようなかたちで国家がインターネットを通じて個人の行動を常時モニタリングしているような状況は、さすがに気味が悪いし、憲法で保証されている自由を侵害している可能性

もあります。182頁・対話5

——ガバメントのデジタル化の怖いところは、そこですよね。

そうなんです。デジタルガバナンスのダークサイドとも言うべきこうした問題は、とりわけ中国におけるデジタルトランスフォーメーションが語られる際に常に問題視されます。たとえば決済アプリに搭載されている信用スコアは、すでに行政手続きのなかでも使われていて、スコアの高い人は、海外旅行をする際に特定の国へのビザの取得を免除されたりします。オンラインにおける活動の成績が良いと信用スコアがどんどん上がっていき、それによってさまざまな利得が得られる仕組みは、ユーザーにとってもたしかに便利ではあるのですが、逆に反体制的な行動を取れば、点数も下がり、どんどんサービスから除外されていくことにもなりますから、国家がこうした国民データを一元的に管理するのは、とても危険なことでもあります。

——ほんとですね。

ですからGDPRの原則においては、個人データはあくまでも個人のものであって、本人の同意がなくては企業も行政もそこにアクセスすることはできない、としています。

——それなら安心です。

ビッグデータとスマートシティ

とはいえ、それで十分なのかと言うとそうでもないんです。

Column 24

余談　カニエ・ウェストのコミュニティデザイン

『Jesus is King』とイージー・キャンパスのこと

トランプ大統領にも匹敵するアメリカ社会きっての問題児、ヒップホップアーティストのカニエ・ウェストは、突然トランプ支持を表明したり、「奴隷制は黒人が自ら望んだものだ」とこのご時世にあるまじき発言をしたりと、何かとアメリカの市民を怒らせ、呆れさせ、ため息をつかせてきた。そのカニエが、幾多の物議とお騒がせ、さらにはいくばくかの反省も経て、2019年初頭くらいから急激にキリスト教への傾倒を見せるようになった。その内的な経緯はよくわからない。その回心がホンモノなのかを疑う声も後を絶たない。が、「神の子」として覚醒したヒップホップアーティストは「今後はゴスペルアルバムしかつくらない」と公言し、ライブも数十人のゴスペルシンガーを擁した移動式礼拝とも言うべき「サンデーサービス」なる形式へと変容した。

そのカニエは、2019年10月に回心後はじめてのアルバム『Jesus is King』を発表し、世界中の音楽ファンの話題をさらった。作品のリリースと同時にサンデーサービスの模様を映像化した映画も公開、さらにプロモーションの一貫として2時間にわたる長尺のインタビューもYouTubeにアップした。ワイオミングに広大な土地を購入し、そこに建てられたスタジオの1室で行われたインタビューのなかでカニエはいくつか面白いことを語っている。カニエは、購入したこの土地に新たなコミュニティをつくりあげることを語っている。農地や放牧場があり、自身のアパレルブランド「Yeezy」のためのファブリックの原材料を育てる畑や、もちろんゆくゆくは生産工場などもつくりたい、と夢を語る。インタビュアーのゼイン・ロウは、「当然サスティナビリティに配慮したものになるんでしょうね」と問うと、カニエは「サスティナビリティ以外にどんな重要な問題があるって言うんだ?」とドヤ顔で返す。もちろん、そのコミュニティの中心をなすのは教会だ。もっとも、教会といっても説教が行われるわけではなく、真ん中にあるのはあくまでも音楽だ。音楽を中心とした新しい循環経済圏のようなものを、どうやらカニエは思い描いているらしい。

カニエはかねてより、ファウンダー（創業者）というものへのリスペクトを公言してきた。アメリカの偉大なファウンダーとして彼は「フォード、ヒューズ、ディズニー、ジョブズ、そしてウェスト」などと、これまたドヤ顔で挙げてきた。先のインタビューでも、カニエはツイッター、スクエアのファウンダーのジャック・ドーシーの名を挙げて、その天才ぶりを誉めそやしていた。とりわけ、1ドルから株式投資を可能にする新たなサービスを称賛している。もちろん、彼が自分の構想するコミュニティを、ヴィレッジでもシティでもなく「キャンパス」と呼ぶのも、巨大テックイノベーターたちにあやかってのことだ。

こうしたことばだけを拾っていくと、実現可能性はとまれ、カニエのビジョンがあながち的外れとばかりは言えないことに気づく。カニエは、風変わりな社会起業家であり、シビックアントレプレナーやコミュニティオーガナイザーでもあるのかもしれない。神さまは置いておいても、そのキャンパスの真ん中に音楽が置かれているのが、なによりも楽しい。これまでの社会OSが、いよいよ破綻していくなか、問題児は問題児なりに、オルタナティブなモデルを模索しているのだと思えば腹も立つまい。いっても世界で最も聴かれる音楽クリエイターにして、世界で一番検索されるアパレルブランド（本人調べ）の首謀者である。認めたくなかろうとも希代のビジョナリーであることは間違いない。今後の成り行きを一応注視しておきたい。

References

Kanye West: Jesus Is King, Sunday Service, and Being Born Again | Apple Music
https://youtu.be/QuOCvKvrwl8

——と言いますと？

「データは二一世紀の石油である」といったことばがこの数年間ずっと語られてきました。膨大な個人データをアーカイブし、あるいはそれをリアルタイムで捕捉していくことによって、予測アルゴリズムやＡＩをどんどん賢くしていくことができますので、たとえばこうしたビッグデータを用いて、新しいやり方で交通やエネルギーの制御や医療における診断の精度などを上げていくことができます。こうしたデータの利用は、公共の利益に資するものではあるので、できるだけ積極的に利活用されることが望ましくあったりもするわけです。182頁・対話5

——なるほど。たしかに、そうですね。

いわゆるスマートシティというのは、そうした生活データを一箇所に集めて解析をし、より効率のよい生活環境をつくりだそうというアイデアですが、そこに顔面認証などが導入され、さらに行動データのすべてが加わっていくと、あっという間に超高度な監視空間が出来上がってしまいます。

——中国が新疆ウイグル自治区でやっていると言われているようなヤツですね。

たしかにスマートシティというアイデアは、都市や地域の効率性を上げることの役には立ちますし、それはもはやどこの自治体も行政府も取り組まなくてはならない要件となっていますが、その一方で、データをどう集め、どういう条件の下で利用し、どのようなリスクを想定しながら実際どう使っていくことが可能なのかは、相当に綿密な議論が必要となりますし、政策レベルでも法のレベルでも慎重な議論が求められています。

——「ＩｏＴの導入でスマートな〇〇を」なんていう掛け声はいまもよく見かけますが。

言うは易しですが、法的な面だけでなく政策的、技術的な面でも、倫理を抜きにこの問題を扱うことはできませんから、簡単な話ではありません。企業は元より、行政府にも、こうした問題を的確に扱える人材は多くないと思います。市民主権の分散的データエコシステムのあり方を構想・研究する目的でEUの委託を受けた「DECODE」（Decentralized Citizens Owned Data Ecosystem）というプロジェクトが、二〇一八年に「スマートシティを再考する」というテーマで詳細なレポートを出しています。データを用いた効率的な行政運営とデータプライバシーの両立をいかに実現しうるかを綿密に説いていますが、日本ではまだまだこうした議論の前提が共有されていないように思います。145頁・コラム30

——それはどうしてでしょうか？

行政データや医療データなどをオンライン上で動かしたり操作したりするようなことが日常化してくると、データ保護に関するリテラシーも必然的に上がってくるとは思いますが、いまはまだAmazonの購買データやNetflixの視聴データといったレベルですから、リスクよりも利便の方を感じやすいのかもしれません。よりデリケートなデータを扱うことになれば、オンラインデータのリスクも強く感じられるようになるのかもしれません。

——でも、そうなってくると、そもそも、そういったデリケートな情報をオンライン化することへの抵抗が強く出てきそうです。

そうですね。とはいえ、たとえばある病院で受けた診察の履歴を、他の病院にもっていくことができるようになるのは、個人にとっても非常にありがたいことであるはずなんです。自分に関わるデータを自分の利益のために使うことを実現するのは、個人をエンパワーすることになりますから、望ましいことではあるんです。加えて、そうしたデータの集合体が公的な利益に資することもたくさんあるはずです。ただ、きちんとしたガードレールがないところでは非常に危険なものにもなりえます。そのトレードオフをよく見ておかないと、「データ駆動社会」なんていうのは絵に描いた餅に過ぎなくなります。177頁・対話4

Column 25

災害と国土強靭化

「やっぱインフラ整備でしょ!」はどこまで可能か

地球環境に興味はなくとも、気象の異常性がいよいよ身につまされるものになってきた実感は誰しもがもっているだろう。予測不能な大規模災害と、それに伴う大規模なシステムダウンはもはや世界の誰にとっても他人事ではなくなりつつある。問題はどう対処するかだ。ここ日本でも、未曾有の巨大台風の直撃を受けて、従来型の巨大インフラによる「国土強靭化」への要望が高まったのは記憶に新しい。行政がなんとかしろ。気持ちはわかる。わかるだけに、ここはひとつ冷静になって国土交通省による資料を改めて紐解いてみることを勧めたい。

「国土基盤ストックの維持管理・更新費」に関する将来予測を見てみると、深刻な事態が浮き彫りになる。資料にはこうある。「耐用年数を迎えた構造物を同一機能で更新すると仮定した場合、現在ある国土基盤ストックの維持管理・更新費は今後とも急増し、2030年頃には現在と比べ約2倍になると予測される」。都市部と地方とで比較した場合、地方の増加率が高く、1人当たりの管理維持・更新費は人口の少ない県において増加が顕著になる、とも資料は明かしている。

また追い打ちをかけるように、こんな事態も指摘されている。「国土基盤ストックの維持管理を担う公務部門の技術者、作業者は既に高齢化しており、現状のまま推移すると、2050年には2005年と比較し半分以下となると予測される」。さらに災害時の死傷者に高齢者が占める割合は6割にのぼるともされ、かつ災害リスクの高いエリアでも高齢者世帯数が着実に増えると予測されている。表を見てみよう。

土砂災害危険箇所	
2010年	440万世帯
2030年	542万世帯
2050年	589万世帯

(増加率・34%)

洪水リスクが高い地域	
2010年	448万世帯
2030年	578万世帯
2050年	680万世帯

(増加率・52%)

地震災害リスクの高い地域	
2010年	198万世帯
2030年	257万世帯
2050年	316万世帯

(増加率・60%)

コスト増による財源の圧迫、強靭化を遂行する人材の減少という問題がすでにあるなかで、災害予測地域に高齢者が増えることで被害増大のリスクは高まる。災害対策をめぐる対応は「いかに災害を発生させないか」という「強靭化」のロジックだけでなく、むしろ「災害は発生する。そのときどうするか」を前提とした考えも必要となる。最悪のシナリオの検討、それが起きた場合のリスクの算定、費用対効果分析の考え方とやり方を詳細に論じた法学者キャス・サンスティーンの『最悪のシナリオ:巨大リスクにどこまで備えるのか』(みすず書房)は、異常気象時代のリスク回避の行政府の役割を考える上で役に立つ。

References

「国土の長期展望」国土交通省
https://www.mlit.go.jp/common/000135838.pdf

トランスフォーメーションの手順

――だいたいのアイデアの骨子は見えてきたような気もするんですが、そんな大掛かりなOSのアップデートって、いったい誰が絵を描いて、どうやって実行していくんですか？　そもそもの見取り図を書くのが誰なのか、ということでもありますが。

ここがなかなか悩ましいところなんです。OSの全面アップデートですから、これまでの考え方ですと、誰かが「神の視点」に立って計画をまとめる必要があると考えてしまいます。けれども、これだけ不確実で、不安定で、かつスピーディな世の中になってきますと、机に向かって考えただけの「計画」は意味をなさなくなってきます。さらに、現実にいま既存のシステムが作動しているなかで全面的な入れ替えを一気にやるのは不可能ですから、じゃあ、どこから手をつけたらいいのかというのも大きな問題です。

――考えるだけで途方もないですね。

この二〇年くらいの間で大きく前進したことがあるとすると、それはまず物理的なインフラの基盤として、かなり高いパーセンテージの市民がスマートフォンを手にして、個人差はあれど、各人が使いこなせるようになったことだと思います。子どもから高齢者まで、スマートフォンでチャットしたり、支払いをしたり、買い物をしたりといったことができるようになってきましたので、そういう意味では、ひとつの段階はクリアした状況だと思います。

――なるほど。

いまはみなさんが、それをほとんど私的な活動のために利用していますが、それを今度は、公的な活動とどうシームレスに

結びつけるかが課題となります。例としてデジタル先進国と言われるエストニアの場合を見てみましょうか。97頁・コラム18

——いいですね。

エストニアの方に聞くと、エストニアにおけるダイナミックな行政のデジタル化は、タイミングの幸運によるところが大きいと言います。というのは、デジタルテクノロジーが一般化し始めた時期が、エストニアやその他の旧ソビエト連邦諸国の場合、ソビエト連邦の崩壊と重なっています。要は、それまでの行政機構が完全になくなって、ゼロからそれを組み上げる機会を得たということです。

——なるほど。

エストニアはソビエト連邦時代からサイバネティクスの研究所が置かれていた場所で、もともと情報工学の研究者が多いという下地がありましたので、そういった人たちがソビエトの機構があったところが更地になったのを絶好の機会ととらえて最初からデジタルテクノロジーを前提とした「政府」のあり方を構想し、実際にそれをつくることができたのです。

——先ほどからのお話を聞いていると「次世代政府」の考えというのは、いまあるテクノロジーの基盤を前提にゼロベースで行政府や公共のあり方を考えてみようという発想に思えるのですが、エストニアはそれを思考実験としてではなく、いきなり実地でやれたということなんですね。

それを実行するタイミングが二年でも遅れていたらおそらくいまみたいには進展しなかっただろうと、あるエストニア人が言っていました。まさに千載一遇のチャンスだったのだと思います。そこで彼らは、まずあらゆる行政機関がそこで情報やお金をやりとりすることのできるデジタルの「交通インフラ」をつくり、次いで国民にデジタルIDを付与しました。そのインフラが「X-Road（開発当初の名称は「タイガーリープ」）」というもので、これがエストニアのガバメントの基本ＯＳとなっています。そこを使って個人は、ありとあらゆる自分の行政データにアクセスし、それを取り出したり更新したりすることができるようになっています。オンラインでできない役所への登録は、土地の売買と結婚・離婚の手続きだけと言われています。

——なぜそのふたつは除外されているんですか？

これらも、もちろん技術的にも法的にもやることができるのですが、彼らによれば「人生の一大事となる決断をオンラインで簡便化するのはよくない」ということらしいです。要はちょっとしたシャレなんですが。

——気が利いてますね。

こうした整備は全省庁をまたいだ横断的な作業となりますから、ここでまず重要なのは部門横断の部署をつくることです。エストニアの場合、この部署は「ＲＩＳＯ」（国家情報システム局）というもので経済通信省の一部門として置かれ、州や自治体の意見を集約し、情報システムの企画、開発、管理、セキュリティ問題の処理などにあたっていました。さらにそこと連携する部門として「ＲＩＡ」（エストニア情報システムセンター）が置かれ、ここが開発者への助言や開発内容のチェックを行っています。

——横断的に活動できるようになってるわけですね。

そうですね。なにせネットワークの構築にはステークホルダーがたくさんいますから、縦割りの構造でつくられた組織図のなかにそれを置いてしまったら「横断性」を確保することができません。既存の組織図に対してニュートラルなポジションをつくることが、こうしたイノベーションを生みだす上では非常に重要になってきます。

——そりゃそうですね。

かつ、かなりの権限が付与されることもここでは重要です。たとえばインドの場合、デジタルIDを国民全員に付与するためにひとつの省がつくられた話はしましたが、このときに「省ではなく庁でいいんじゃないか」という議論があったそうです。ところが、その部門のトップになることを依頼されていたナンダン・ニレカニが「庁の長官ではなく、省のトップとして大臣の権限が与えられなかったらやらない」とゴネたそうです。首相と直接やりとりして執行できる権限がないと、既存の他省庁や官僚組織といった既得権益側による妨害にあって業務を遂行できないと判断してのことだったとされています。

——なるほど。

もっともこうした強権の発動が必要なのは、最初のいわば「基礎工事」のところであって、そこから先は意外ですが、非常に段階的かつ、言い方は悪いかもしれませんが場当たり的なんですね。できることから徐々にやっていくといいますか。エストニアの場合ですと一九九六年にオープンソースのプラットフォームの開発に着手し、その後に「デジタル署名」を法制化、二〇〇〇年に税金（e-Tax）、駐車場（e-Parking）、二〇〇二年に学校（e-School）といったオンラインプログラムの運用を開始し、デジタルIDカードの運用の開始がはじまるのも同じ年です。その後「警察」（e-Police）や「保健医療」（e-Health）などの分野へと段階的に拡張しています。92頁・コラム17

オープンな基幹システム

——最初に基盤のOSをつくっちゃえば、その後はどんどんそこに接ぎ木していけるということですね。

Column 26

川・テクノロジー・自治
河川工学者・大熊孝の視点

日本を代表する河川工学者で、日本における河川行政のあり方の問題を、単なる技術論からばかりでなく、社会的な見地からも鋭く指摘してきた大熊孝は、『技術にも自治がある』(農文協) という著書のなかで、環境はもとより地域コミュニティをも考慮した、より自立的で持続的な自然と人とテクノロジーの関係性を提案している。本書の解説において、哲学者の内山節は、大熊の功績をこう記している。

「近代技術の欠陥は、技術自体の欠陥として論じるものではなく、技術の成立と選択、実行のプロセスに普通の人々が関与できないことから生じる欠陥であることを、大熊は河川をとおして論じたのである。それは、思想的には、次のような視点へと人々を導く。国家は地域の人々に検証される仕組みをもたないかぎり、健全な姿を保ち得ないこと、そして専門家は素人の検証を受ける仕組みをもたなければ、専門家としては健全な仕事をなし得ないこと、である。いうまでもなくこの見解は、近代国民国家のあり方に対する、また、プロフェッショナルな仕事や専門家を育成する学問といったものに対する近代社会の合意への、根源的な挑戦を秘めている」

ウェーバーが定式化したように「分業」を通じて「プロ化」を進行させるのが近代官僚制であったとすれば、大熊の視点は、河川行政のみならず、近代行政そのものに対する批判としても大きな意味をもつ。本書のなかで大熊が語る「技術の自治」は、技術インフラを独占的に管理することを自らの任としてきた行政府に対して新しいモデルを授けることになるだけでなく、自然災害との向き合い方についてもオルタナティブな視点を与えてくれるはずだ。

技術の自治:4つの要件

1. 自然に対して無謀な技術を押し付けるのではなく、自然と共生して持続的に維持し、修正していくことが可能な技術であること
2. 自然に対する社会的要請のなかで発生する地域間対立を関係する住民同士で話し合いながら、折り合い点を見出せる技術であること
3. 行政と協力することは当然ながら、行政に依存することなく、関係住民が自ら主体的に展開する技術であること
4. 誰もがそれに関わることで「誇り」や「生きがい」を感じることのできる技術であること

References
『技術にも自治がある一治水技術の伝統と近代』大熊孝
http://shop.ruralnet.or.jp/b_no=01_4540031074/

そうです。一昨年ジョージアを訪ねたんですが、ジョージアはエストニアと非常に関係が深く、行政のデジタル化について多くの助言をエストニアから得ています。エストニアの「X-Road」と同じようなやり方で、基幹道路をまずつくって、そこに順次、各省庁のデータベースが接ぎ木していくやり方で、地道に行政府のオンラインネットワークを構築していました。

——そうした基幹のシステムはどうやってつくっていくんですかね？

いままでのやり方でしたら、国家が丸抱えでベンダーなりに発注してクローズドなシステムをつくっておしまい、となっていたわけですが、先ほども言いましたように、いまは一〇年、二〇年先までを綿密に計画して、その通りに実行するという時代ではなくなっていますし、デジタルテクノロジーの最大の強みは可変性や素早い応答性にありますので、できるだけオープンなやり方で設計されるのが望ましいんです。エストニア政府の賢いところは、「X-Road」をオープンソースのソフトウェアで構築したことで、そうすることによって特定企業に依存することなく、中立性の高い「交通インフラ」をつくったところにあると言えそうです。

——とはいえ、省内にそれをつくることのできるエンジニアがいるわけではないですよね。

エストニアの場合もインドの場合もそうですが、面白いのは、そうした「デジタル公共財」の企画・開発を行政府でも民間でもない中立性の高い第三者機関が担っているんです。新しいかたちの「PPP」（公民連携／パブリック・プライベート・パートナーシップ）と言えるような座組みになっていまして、そのありよう自体が次世代政府のあり方の雛形になっています。エストニアでも「RIA」は政府の外郭団体という位置づけになっていて、そこを通じて民間企業などと手を組んで開発にあたっています。

——新しい公共事業のあり方ですね。

インドもシステムやソフトウェアの開発は、実は政府内の組織が行うのではなく「iSPIRT」というボランティア団体がやっています。166頁・対話2

——そうなんですか？

はい。常時一〇〇人ほどのメンバーが分散的につながっている非営利組織で、政府や規制当局からの資金は一切入っていないと聞いています。メンバーのなかにプログラマーやシステムエンジニアがいまして、いわば勝手連的に企画・開発をやっていて、それを政府が後押しするという格好になっています。実はフィンランドのキャッシュレス化においてもそうなのですが、「電子領収書」や「電子請求書」といったアイデアを最初に提出したのは銀行連盟を中心とした民間の組織でした。次世代政府は政府主導のトップダウンではなく、といって完全なボトムアップでもない、その間を縫うようなやり方で行われるのがどうも主流のように見えます。171頁・対話3

イデオロギーや政党という問題

——それはどうしてなのでしょうか。

これはわたしの仮説ですが、議会という制度に関わるのではないかと見ています。行政主導であるプログラムを実行しようと思えばまず予算の確保が必要になります。議員にさまざまなロビイングをして議会のアジェンダにあげてもらい、それでようやく議会に持ち込まれ、審議され、予算が落ちてきたりこなかったりする従来のプロセスは、国民なり市民の「困った」が多様化しマイクロ化したいまの世の中の課題の複雑さに十全に対応したものとはいえなくなっています。

——そうですか。

Column 27

Uber、WeWork、デジタル分散主義

スケールを「戦略的に策定する」こと

アメリカのテック界のなかでも独特なポジションを取るテックシンカー／メディア批評家のダグラス・ラシュコフは、それが拡大の一途をたどる前からすでにフェイスブックやグーグルのビジネスモデルを批判してきた。ラシュコフは、GAFAの独占・専横にいたったテックイノベーションを、デジタルテクノロジーの発展における特殊なフェーズであると指摘し、それがもたらした状況は、そのテクノロジーの使い方の一形態でしかない、と語っている。

ラシュコフはその様態を「デジタル産業主義」と呼び、近代になって発生した産業社会の構造、システム、エトスにデジタルテクノロジーを接続した、ある意味ヌエ的なものであると考える。デジタル産業主義は「指数関数的成長」をゴールとし、そのビジネスは常に「グローバル」をスケールの尺度とし、常に「価値の破壊」に向けて最適化される。しかし、デジタルテクノロジーが本来もっていた志向性は、果たしてそういうものだったのだろうか。脱中心、分散型、P2Pといった価値が喧伝されてきたわりに、デジタルネットワークはそのように使われているようには見えない。むしろ、集中化が進んだじゃないか、というラシュコフの指摘は鋭い。

言われてみれば、ソーシャルメディアはマスメディアの広告モデルを採用することで、マスメディアの原理をもって「リーチ数」を競うレースへと成り果てた。そもそも、閉鎖系のなかで運用される「回覧板」としてつくられたツールに広告モデルをもちこんだら、回覧板が回覧板の機能を果たさなくなるのは当たり前だ。というわけで、ラシュコフは過渡的状況である「デジタル産業主義」を経たのちに来るべき社会の原理として「デジタル分散主義」という区分を提案する。そこでは「持続的繁栄」がゴールとされ、企業は「プラットフォーム独占」ではなく、「プラットフォーム上での協働」を目指すものとなり、「価値の交換」に最適化され、スケールの尺度はプロジェクトや事業に合わせて「戦略的に策定される」ものとなる。

UberやWeWorkといったGAFAに続く巨大プラットフォームが現在、大きな曲がり角に立たされている。ギグエコノミーやノマドワーカーの増大は今後も続き、かつさらに拡大していく大きな潮流であることには間違いないが、いま問われているのは、そうしたビジネスがプラットフォーム独占を目指さなくてはならないのか、ということだ。シェアライドサービスは、ローカルのプレイヤーによるローカル最適なものが最も円滑だろうし、コワーキングスペースも、それが1社によるグローバルプラットフォームである必然性は必ずしもない。各ローカルのプレイヤーがネットワークするかたちでグローバルなカバレッジが実現する方が、むしろ使い勝手がいい。「ワークスペースのためのExpedia」のようなサービスの方にいまはむしろ注目が集まっている。

スケールの尺度を戦略的に策定する。ここが「デジタル分散主義」における重要なポイントだ。グローバルはダメ、すべてはローカルで、というのがラシュコフの言う「分散主義」ではない。ビジネスや事業の領域設定を自己決定する、というところがキモなのだ。近代の産業社会においてはスケールの尺度は「国家」が規定していた。その後のグローバル化は、あらゆるビジネスを世界規模の競争へと変えた。これからの時代は、事業に見合ったスケールを自ら的確に選びとっていかなくてはならない。

References

“The Silver Lining Of Anti-Globalism Might Be The Creation Of A True Digital Economy”
Douglas Rushkoff
https://www.fastcompany.com/3067330/the-silver-lining-of-anti-globalism-might-be-the-creation-of-a-true-digital-economy

たとえば「小学校の体育館にクーラーを入れたい」といった要望が市民サイドにあったとして、それを実現してもらえそうな議員を選び出してその人に投票するという段取りしか市民側にないというのはいかにも非効率ですし、選挙でそれ自体が争点になっていなければ、そもそも誰に投票したらいいのかもわかりません。世の中にもっと重大なイシューがあるのであればそちらが争点になってしまいますし、同じような細かいイシューはほかにもたくさんありますから、「クーラーを設置してくれそうな議員を選べ」と言われても選ぶのは非常に難しい。大方は所属政党の思想的な傾向を鑑みながら、「この党だったらこの『困った』に目を向けてくれそうだな」と見当をつけるくらいしかないのが現状です。

——たしかに。

そうした細かい「困った」を集約する機能として議会というものがあって、それを代議士という仕組みを動かすのですが、選挙民の側からすると自分が感じている細かいいくつもの「困った」に全部合致するような問題意識をもっている代議士なんて現実的にはいませんから、個々のイシューでは齟齬があっても「だいたいの大枠の考え方で合致していそうだ」というところで手を打つしかないわけです。

——あるイシューについては反対だけれども別のイシューについては賛成なので投票したら、反対だったイシューについて「民意を得た」みたいな感じで進められてしまったりするのを見ていると、民意の反映っていうのは難しいものです。

いまほどまでに世の中が多様化していない時代であれば、党派ごとのイデオロギーのなかに国民の感じている課題を集約することが可能だったかもしれませんが、こうまで課題が多様化し、その優先順位も人によってまちまちになってきますと、それらをひとつひとつイデオロギーで解釈してそれに順位を与えていくことはどんどん困難になっていきます。イデオロギーよりもイシュー自体のほうが前景化して、イシューそのものが政党化していくのも、こうした見方をすると、ある意味必然なのかなとも思います。

——「NHKのスクランブル化!」というイシューのもとに、思想信条が本来は違う人たちが集うのを見て、なんだか不思議な気がしましたが、そう言われると腹落ちしなくもありません。

それがいいか悪いかは別にして、政党や議会というものを通して世にあるたくさんの「困った」を腑分けして序列化していくことの難しさと、そのシステムに対する不信感のようなものを、かの政党が図らずも炙り出してしまったように見えなくもありません。彼らが取り上げたイシューは「NHKのスクランブル化」でしたので、それを実行しようと思えば国会議員にならざるを得ませんが、もっと小さいイシュー、たとえばさっき言ったような「地元の小学校にクーラーを入れたい」なんていう課題はイデオロギーに関係なく設置してあげたらいいものなのに、イデオロギーに回収されるかたちで議会に持ち込まれ政争の道具として利用されているうちに、当の小学生が熱中症で倒れたりしてしまう。なのでそういう「困った」は、もう市民サイドで解決してしまえ、という考え方のもと、行政府はそれを後押ししながら調整するようなポジションにまわるという発想になってきているのかなと思います。

実験するための実行部隊

——それって、でもどうやるんですか?

たとえばですけど、こうしたクーラーのような案件であれば、クラウドファンディングはぴったりなソリューションじゃないですか。学校に通っている子どもの親御さんは、自分のお子さんが通っているうちにぜひともクーラーを入れたいわけですし、OBやOGの方で協力するのはやぶさかではないという人も少なからずいるはずです。その方たちは別にそれで見返りが欲しいわけでもないでしょうから、クラウドファンディングがそうであるように、どこかにクレジットでもされたらそれで十分なはずですよね。そういうやり方であれば誰にも迷惑はかけませんし、そこで支払った分の税金控除がされるのであればフェアな税負担にもなります。

――なるほど。

聞けばロンドン市では、そのようなやり方で市長がバックアップするかたちで公的な事業に対するクラウドファンディングの事例が出てきています。東京都も「起業家支援」的なプログラムではありますが取り組み始めています。もちろんこうした案件が増えていけば、さまざまな事案のなかでさまざまな困難や課題も出てくると思いますし、公共のクラウドファンディングを民間の営利プラットフォームでやるのはどうなんだといった声も当然出てきます。じゃあどうするのかということなんですが、ここでＰＰＰ（パブリック・プライベート・パートナーシップ）の話に戻ってくるんですね。

――そうか。

おそらくこうした試みは、いろいろと実験を重ねていったなかで修正を加え、法的にも問題のないかたちにしていくプロセスがどうしても必要になります。これを議会に通していると、つくってみないと実験できないし、つくるためには予算が必要だけど、その予算を取るためのエビデンスとして実験をしないといけない、といった鶏が先か卵が先かみたいな議論にどうしてもなってしまいます。そこで、行政府とは近いながらも、それとは関係ないところで「勝手にやっている」ような組織体が必要になってくるんだと思います。

――なるほど。実験するための実行部隊ですね。

デンマークに「デンマークデザインセンター」という組織があります。ここは国からの出資を受けている組織ですが、彼らの仕事はまさに、これから行政府が行ったらいいのではないかと思われるプログラムを実験することです。これまで話したような実験を小さなサイズで始めて、それをよく観察し微調整を加えながら、徐々に大きくしていき、一定の効果が見えたら行政府と「共有する」ことをやっています。そうすることで、行政府は最初のコストをかけることなく、さまざまなプログラムの企画・開発・実験を行うことができます。156頁・対話1

——勝手にやっている、という建て付けがいいんですね。

そうだと思います。たとえばIT企業のサテライトオフィスの誘地で注目を集めた徳島県の神山町も、公的な新しいプログラムの企画・開発を「グリーンバレー」というNPO法人や「神山つなぐ公社」という一般社団法人が担っていたりします。そこに町役場のスタッフが出向していたりもしますが、あくまでも行政府が主体なのではなく、行政府がサポートしているという見え方です。

——公民連携ということばはよく耳にしますが、公と民を結びつけるための中立的なテーブルが必要なんですね。

それが今後もずっと最良の手立てなのかどうかはわかりませんが、いまはそうやって、新しいサービスをつくるために、どういうつくり方が望ましいのかということも一緒に実験が行われているフェーズなのだと思います。どういう座組みでどういうやり方で議論をして、どのような管理体制のなかで誰がどうやって企画を開発し、実行、維持していくのかという「つくり方のつくり方」も同時に検討・実験されているわけです。

——なるほど。

どんな行政府でも真似のできる、再現性のある「つくり方」が、ある程度手順化されて共有可能なものになるのはとても大事なことです。近代国家がかたちづくられたときにも、たとえば橋やダムをつくったり道路を通すための手順などが地理の計測から近隣住民の説得といったことも含めてマニュアル化されていたはずです。作業の進め方を身につけてしまえば日本の官僚組織は決められた手順に従って動くことは得意ですから、少しは物事が進めやすくなるかもしれません。とはいえ、手順が決まったからといってコンテンツは自分たちで企画・開発しなくてはなりませんから、中央が決めた企画やコンテンツが送られてくるのをただ待っていればいいというわけにはいきません。

Column 28

エネルギーシフトと「地産地消」

新しいエネルギーがもたらす新しい社会モデル

長野県のエネルギー政策担当企画幹としてダイナミックな施策を推進した田中信一郎は、その著書『信州はエネルギーシフトする——環境先進国・ドイツをめざす長野県』（築地書館）のなかで、エネルギー源が化石燃料を主体としたものから、「太陽、風、水流、生物、地熱、潮汐、温度などの自然資源」へと変わることで、垂直統合型のエネルギーの配給システムが、水平分散的なモデルへとシフトすると指摘する。それは、従来の配給型の社会モデルを新しいものへとアップデートするための契機となる。

「エネルギーシフトは、積極的に新しい社会を創造しようとする働きであり、戦略です。社会と経済の衰退を是認したり、単にエネルギー源を変えたりするということでは、決してありません」

再生エネルギーの活用は、それが循環的で持続的という特徴をもっていることから、低成長で定常的な経済を志向するものと考えられがちだが、田中は再生エネルギーへのシフトを、むしろ新しい経済政策として位置付けることの重要性を謳っている。目指すべきは「環境と経済の両立」。ローカルなエネルギーをローカルで消費する、いわゆる「エネルギーの地産地消」は、その観点から見ると不十分なものだと田中は指摘する。

「例えば、域外から事業者がやって来て、地域で太陽光発電を始めたとします。その電気を地域の企業や住民が購入すれば、エネルギーの地産地消になりますし、GHG排出量の削減につながります。ところが、発電事業の収益は、域外の事業者が手にします。資金の流れで見れば、エネルギー代金として域外に資金流出する構造は従来と同じで、エネルギー源が化石燃料から地域産の再エネに変わっただけなのです」

多くの自治体などが「地産地消」をその理念や目標として採用するが、このような論点は案外見過ごされがちだと田中は語る。「地産地消は、目標（ゴール）ではなく、出発点」なのだと田中は指摘する。

そして、アメリカの都市学者ジェイン・ジェイコブズが提唱した「輸入置換」という考え方を引きながら、こう主張する。

「地産地消にこだわりすぎると、再エネの販売によって地域に得られるはずの外部からの利益を、逸失してしまいかねません。（中略）大都市と地域を再エネで結べば、大都市から地域への資金流入を促進できます。

　域外から購入する財を、域内生産の財に置き換え、域内生産の財を域外に販売して利益を獲得するのは、地域発展の基本原則です」

References

『信州はエネルギーシフトする—環境先進国・ドイツをめざす長野県』田中信一郎
http://www.tsukiji-shokan.co.jp/mokuroku/ISBN978-4-8067-1551-1.html

――そうですね。

また、こうした変革のなかで大事なことがふたつありまして、それはマインドセットに関わるものですが、そこを変えることが案外大変なところかもしれません。

ユーザー視点の重要性

――なんでしょう。

これは「iSPIRT」の方がおっしゃっていたことですが、デジタルパブリックグッズをつくっていく上で最も大事なのは、「課題と答えがセットになっていること」と「ユーザー視点でつくること」です。

――どういうことでしょう。

これは基本的には同じことを言っているんですが、とにかく大事なのは、明確な「課題」がそこにあって、それを解決するためにこのソリューションがある、という最初の設定をきちんと定義することです。さっきもお話した通り、行政・民間含めて日本の多くのサービスは供給サイドの理屈でつくられていて、「それがどういう変化をサービス受益者にもたらすのか」という観点が抜け落ちることが多いんです。「○○をつくります」とか「○○を提供します」って主語が供給者じゃないですか。そうではなくサービス受益者を主語として、そこで起きる変化、「AがBになる」ことにフォーカスすることが必要なんです。

――それをするためには、受益者の課題をかなり細かく理解することが必要になりますね。

その通りです。そうであればこそスモールスケールでいいので実地で実験をすることが大事なんです。あるプログラムを投入したことによってどういう変化が起きるのかを、きちんと仮説を立てた上で実験し、その通りに変化が起きたか起きなかったか、起きなかったとしたらなぜなのかをきちんと検証していく作業が非常に大切です。

――ユーザーの側に立って課題をちゃんと定義するということですね。

はい。また、これはプログラムを実装する際にも非常に大切なところです。先ほどもちらっと言いましたが、いまの役所の「UI」や「UX」っていうのは、もう信じられないくらい出来が悪いわけです。サービス供給者の都合に受益者が合わせるかたちでつくられていて、窓口をたらい回しにされるようなことも、サービス受益者であるこちらがあちこち動き回らないといけない仕組みだからこそ起きることで、次世代政府にあっては、これは完全に逆の発想をしなくてはなりません。受益者は好きな時間に好きな場所にいながらにしてサービスにアクセスできなくてはなりません。子どもからお年寄りまで、誰が見ても、自分の欲しい情報やサービスがどこにあるのかが一目でわかるようなことは基礎的な要件としてあり、その先に、言われなくても必要なものを差し出してくれるようなUI・UXが目指されなくてはならないんです。

――その発想の転換は、しかしなかなか大変そうですね。

あまりにも長いこと日本人は配給制に慣れ親しんできてしまいましたからね。

ロジックモデルというツール

――どうやったら脱却できますかね。

Column 29

ナッジする？
行動経済学が行政府にもたらすもの

憲法学者のキャス・サンスティーンは、オバマ政権下において行政の「シンプル化」を大いに進めた人物だ。彼が政権内部において行った活動、その背景にあった考え方は、自著『シンプルな政府：“規制”をいかにデザインするか』（NTT出版）のなかで詳細に明かされている。

「私が展開した主張は主に、『大きい』政府か、『小さい』政府かという、使い古された、不毛な、言い回しだけの議論を超えて、最適な手段を発見し、証拠に細心の注意を払って、本当に結果を出すにはどうするかを学ぼうということだった。この点で、ナッジは大いに有望である」

サンスティーンはノーベル経済学賞を受賞したリチャード・セイラーとともに、行動経済学をベースにした「ナッジ」という手法で、効率化、わかりやすさ、より高い生産性を政府にもたらそうとした。「ビッグ・ソサエティ」を提唱した英国のキャメロン首相は、セイラーの助言を受けて閣内に「行動洞察チーム」（通称「ナッジユニット」）という部門を設置した。

「このチームは『行動経済学と心理学の分野では、決定を下す際の枠組みの微妙な違いがいかに大きな影響を持つかについての研究が盛んに行われている。このチームはそこからの知見を活用する』とある。チームはそうした知見を活用して、禁煙、エネルギーの効率化、臓器提供、消費者保護、法令遵守などの分野で新たなイニシアティブを創出した」

「ナッジ」は現在、韓国、オーストラリア、デンマーク、ドイツなどで官民双方の機関で採用されているとサンスティーンは語るが、そもそも「ナッジ」とはいったい何なのか。オンラインメディア「Courrier Japon」に掲載されたセイラーについての記事を引いてみよう。

「1999年のことだ。アムステルダムのスキポール空港は経費削減のため、男子トイレに目を付けた。床の清掃費が高くついていたからだ。そこで、小便器の内側に一匹のハエの絵が描かれた。その結果、なんと清掃費は8割も減少した。（中略）
　ナッジ（nudge）とは、『ヒジで軽く突く』という意味。科学的分析に基づいて人間の行動を変える戦略のことだ。スキポール空港の場合、『人は的があると、そこに狙いを定める』という分析に基づいて、小便器を正確に利用させたわけだ」

ナッジは「行動経済学から生まれた、単純で低コスト、自由を堅持するアプローチで、経費削減や人々の健康や長生きを約束する」とサンスティーンは主張する。上から「ああしろ、こうしろ」と言うのではなく、ユーザーの主体的な選択を通して規制を実行していく「ナッジ」は、たしかに効率もよく、コストもかからないが、人間の心理や認知のバイアスをリバースエンジニアリングするこうした手法は、時に誘導的、操作的にも作動しうる。選択者の自由意思に影響を与えることなく合理的な判断へと導く制御や提案の枠組みは「選択アーキテクチャ」と呼ばれ、市民や消費者を「より良く」制御する手法として注目されているが、デジタルサービスやプラットフォームの選択アーキテクチャが、選択の自由を阻害していないかといった異論はすでに提出されている。

また、デンマークデザインセンターのクリスチャン・ベイソンは、本誌の164頁で別の角度からその向き不向きを指摘している。

References
「行動経済学で人の心を操る現代の魔法『ナッジ』とは何か」Courrier Japon
https://courrier.jp/news/archives/99941/

これは案外便利なツールがありまして、イギリスのパブリックセクターではどんな小さなプロジェクトでも、「ロジックモデル」というものを使うそうです。

――へえ。ツールがあるんですね。

そうなんです。簡単に言いますと、ロジックモデルというのは「起こしたい変化」を定義して、そのためにはどういったサービスプログラムが必要で、そのために必要な活動が何で、その活動のために必要な原資は何か、つまり「これをやるためにこれが必要だ」というロジックをひとつながりのものとして組み上げる、というものです。

――へえ。

ここで大切なのは、あらゆるプログラムのゴールは「起こしたい変化」とされていることです。このゴールのことをロジックモデルにおいては「アウトカム」(Outcome)と呼びます。一方で「その変化のために必要なサービスプログラム」は「アウトプット」(Output)と呼ばれます。この関係性がとても重要です。

――どういうことですか。

「アウトプット」は具体的なサービス内容のことを指しています。「橋をつくります」とか「アプリをつくります」とか「音楽フェスを開催します」等々、なんでもいいんです。ところが、ありがちなのは、そのサービスをつくることが、どんどん目的になっていってしまうことなんですよね。

――それはありがちです。

アウトプットがゴールになってしまうと何が困るかといえば、そのプログラムを設計したり運用したりするなかで、なんらかの選択の意思決定をしなくてはいけなくなったときに、決断ができなくなることです。プロジェクトが行き詰まってしまったときに、「そもそも、これなんのためにやってたんだっけ？」って自問せざるを得なくなることは、世のどんな仕事でも多いかとは思いますが、ゴールが「それをつくること」であったら、なんの判断もできませんよね。

――たしかに。「これをつくるためにこれをつくっている」って、アートか、もしくは山登りみたいですよね（笑）。

そうなんです。ですから、プロジェクトに関わるみんなが共有しなくてはいけないのは、「アウトカム」の方なんです。「起こしたい変化」を実現するために、本当にそのサービスプログラム＝アウトプットでいいのか、と考えるのがロジックモデルにおいては基本的な筋道ですので、アウトプットは、そういう意味では二義的なものでしかないんです。ところが世のほとんどの人は「アウトプット」ばかりに気を取られて、そのサービスの「意義」の方をどんどんおろそかにしていってしまうんです。

――ほんとですね。

アウトプットがゴールになってしまうことの別の問題を言いますと、そうなってしまうと正しく評価ができないんです。

――と言いますと。

アウトプットがゴールになっていると、アウトプットが完成したら、それで一〇〇％達成じゃないですか。

――「できた！　おしまい！」ですよね。

それって評価できないですよね。つくることがゴールだとすると、つくることが終わってしまったら「よくできました」としか評価しようがありません。せいぜい「それがどれほど効率よくつくられたか」が指標になるくらいで、世の中で効率ばかりが重視されてしまうのは、逆に言えば、みんなが「アウトプット」しか見ていないせいなんです。ロジックモデルの場合ですと、評価の軸は、つくったあと「それがどんな変化をもたらしたか」の方に置かれることになるので評価が可能になるんです。

——なるほど。

「効率」ではなく「変化」が指標になっていれば、「思ったほど変化が起きなかった」とか「想定通りに変化が起きた」といったかたちで、サービスプログラムの有効性を計ることができるようになります。その有効性が見えると、プログラムの何が問題だったかも見えますし、何をどう修正すべきかという道筋も見えてきます。ロジックモデルが、とりわけパブリックセクターで用いられているのは、有効性の見えないプログラムをやっていると「税金の無駄だ」と言われるからです。これが民間企業であれば、別に自分のお金ですからドブに捨てたところで自由ですが、とはいえ、そんなことを繰り返していたら、株主や社員からいずれ見捨てられてしまいますよね。

再分配は「目的」ではない

——日本はそうやって考えると、「できた！ おしまい！」がやたら多そうですね。

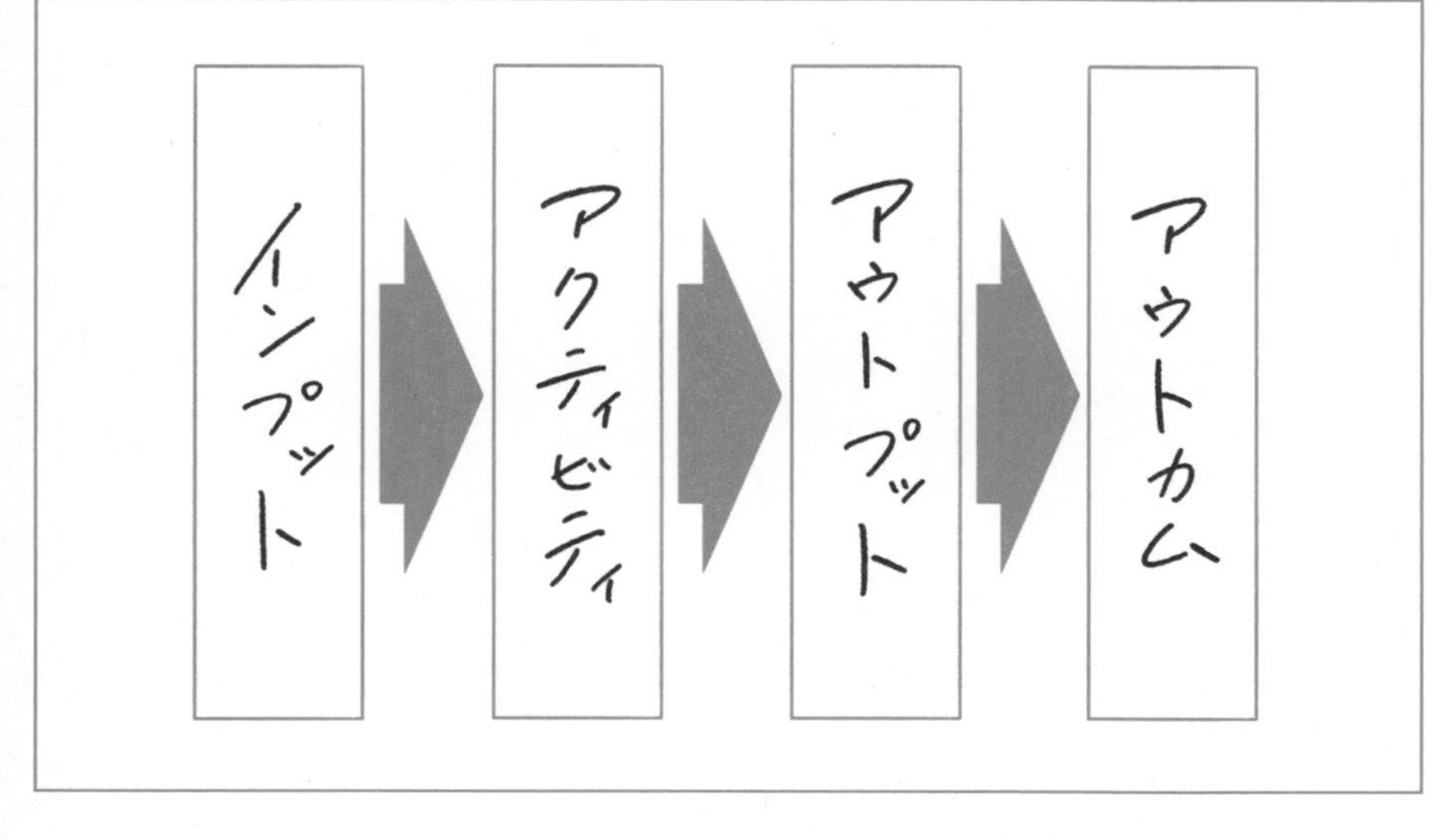

〈ロジックモデルの考え方〉
目指すべき「変化」をアウトカム＝ゴールとし、それを達成するための仮説を論理化していくためのツールがロジックモデルだ

これはわたしの知り合いの官僚の話ですが、官庁にはどこにも会計課という部署があって、そこが予算の割り当てをやる際に、一応、日本の官庁でもロジックモデルをつくらせたりするものの、予算請求にくる官僚に「このアウトプットで何が変わるの？」と聞いても、すっと答えられないというんですね。そのプログラムやサービスを通じて「誰の課題をどう変えたいのか」を現場の官僚が即座に答えられなかったら、その時点で「税金の無駄遣い」と言っているようなものですよね。

――説明責任が果たせないということになっちゃいますもんね。

行政府の仕事が「税金を再分配すること」だというのは、それはそれで間違ってはいないとは思いますが、しかしながら「再分配」が目的ではないはずですよね。

――「配った！　おしまい！　効率もよかった！」では困ります。

課題を解決するためにサービスを提供するのが本義であって、そのための再分配であるわけですから、ちゃんと課題を解決できないと意味がありません。そう考えるとどんなかたちであれ、とにかく課題が解決されることに専心すべきなんです。

――そういう本義にもう一度立ち返ったときに、いま手元にあるテクノロジーで何ができるのかをしっかり考えようということですね。

神社の鳥居を直しましょうというのと同じことだと思うんですね。それが学校の体育館のクーラーなのか、それとも学校のトイレなのか、歩道のガードレールなのか、おじいちゃんやおばあちゃんの見守りなのか、どの課題に対してどこにいくら個所付けするのかを、議会や役人や審議会のような市民から遠く離れたところで決定されても時間はかかるしプロセスは見えないしで、そりゃ納得感ありませんよね。

Column 30

正しいスマートシティのためのレッスン
「DECODE」のレポートに見る「2周目の議論」

「ソサエティ5.0」や「データ駆動型社会」と、バズワードが更新されるばかりで一向に実態が伴わないように見える「スマートシティ」をめぐる議論。欧州では、スマートシティのより具体的な実装へ向けて、すでに2周目の議論に入りつつある。EUの委託によって設立されたリサーチ団体「DECODE」(Decentralized Citizens Owned Data Ecosystem/脱中心的市民所有データエコシステム)の2018年7月のレポートは、「スマートシティを取り戻す:パーソナルデータ、信用と新しいコモンズ」(Reclaiming the Smart City)と題されており、タイトルからしてすでにこれが2巡目の議論であることが明かされ、「データ駆動型都市」といっても、いろんなリスクがあって、そう簡単にはいかないよね、というところから始まっている。いま、都市が直面している課題を、レポートはこう説明する。

〈スマートシティの3つのチャレンジ〉

1. 従来の「スマートシティ」の考え方は、個のプライバシーをリスクにさらす。データ駆動型の都市は、巨大監視装置になりかねない
2. データがどう収集され、どう使われるのかについて、市民の意見は重視されていない。また、政策立案者がデータを同意ベースのやり方で収集できる方法が限られている
3. 独占的なIT企業のビジネスモデルがパワーバランスの不均衡をもたらすなか、行政府はどのような役割を果たし、地域経済にどうデータを結びつけイノベーションを起こすのか、やり方がわからない

そうしたなかレポートは、行政府の政策立案者に向けて、より倫理的な「オルタナティブなスマートシティ」を実現するために学んでおくべきことを8つの項目としてまとめている。

〈8つのレッスン〉

1. 合意に基づいた明確な倫理原則を策定し、それを具体的な政策に翻案していく
2. スマートテクノロジーの有用性とリスクを評価できるよう、行政府内のスタッフを訓練する
3. 役所の外に出向いて専門家やパートナーを見つける。他の地方行政府とも手を組む
4. プライバシーやデータ倫理を重視するメリットをあらゆるステークホルダーに対して明らかにする
5. 市民により多くのプライバシーと権限を与えるような新サービスを実験するための苗床になる
6. 監視テクノロジーの使用については、時間とあらゆるリソースを割いて市民をエンゲージさせる
7. 社会全体のデジタルリテラシーの向上に務め、複雑で不透明なシステムについてもわかりやすく、説明責任を果たす
8. データ収集や分析を行う際に、できるだけ最初から最後まで市民が参加することを促す

References

"Reclaiming the Smart City: Personal data, trust and the new commons" DECODE
https://decodeproject.eu/publications/reclaiming-smart-city-personal-data-trust-and-new-commons

——透明性というのも、そこでは大事な要素ですよね。

いま言ったような奥まったところで長時間かけて決定された再分配よりも、オンラインで行われるクラウドファンディングやクラウドソーシングのほうがよほど透明性が高いものになります。たとえば商店街に対する補助金も税金でまかなわれていますが、こうしたものもクラウドファンディングのような仕組みを利用すれば、応援する人とされている人の関係がお互いに透明になり、人と人との新しい関係性が生まれるようにもなります。ここまでの議論をいったんまとめると、次世代行政府の役割は、おそらく次の三つに集約されるのではないかと思います。まず、「社会インフラの提供」。そして「サービスの提供」。最後に「コミュニティの再構築」があるのだろうと思います。44頁・対話5

——いまは市民から意思が発動されても、応答が戻ってくるまでに膨大な時間とコストがかかってしまい、その長いプロセスのなかで、インドのように途中でお金が消えてしまったりします。そうしたことが常態と化すと政治に対しても行政府に対しても不信感しか出てきません。

人は腐敗する

エストニアの人は、よく「人はコラプトする」という言い方をします。

——コラプト?

「腐敗」という意味です。彼らはソビエトの官僚制度がよほどイヤだったと見えて、それに対する極度の不信があるんです。エストニアが、ソビエト官僚がいなくなるや、それを好機と捉えて猛然とデジタル化に邁進したのは、その思いが背景にあるからです。

――というと？

システムをデジタル化して、すべての業務やトランザクションが自動執行されるようになれば、人が関与できなくなります。彼らはそのほうが、人に任せているよりもはるかに安全かつフェアなシステムになると考えるんですね。実際、日本のどこかの自治体で、ある実験をしたところ、業務の自動化を推進していくと、公務員の九〇％の業務をなくすことができることがわかったそうです。177頁・対話4

――それはすごい。ほんとに人がいらなくなりますね。

ところが、そうもならないんです。そうした処理業務をきちんと圧縮して人の手から離してあげることで、さきほど言った「市民の課題を解決する」という本義にようやく公務員が取り組めるようになるわけですから。自動化できる業務をできるだけ速やかに自動化することで、本来やるべき仕事に人を割くことができるということです。

――いまのままでは市民の課題がどこにあるのかを探しにいくような時間もないでしょうしね。

現場に向きあいたくともできていない場合もあるでしょうし、やっていたとしてどうしても個人技にとどまってしまう印象もあります。これまでひたすら事務処理を要求されていた人たちに、じゃあいざ市民のなかに入っていって課題を特定し、公民連携の座組のなかで、あるいは市民同士の力でその課題が解決されるようにファシリテートしろと言っても、それはそれで酷な話だと思います。

――そりゃそうですよね。

コミュニティマネージャーということばが、リアルの世界でもＩＴの世界でも使われますが、これからの公務員という

Column 31

「コモンズ」は二元論を超えていく

『社会のなかのコモンズ』が解き明かす可能性

「コモンズ」ということばは、土地所有をめぐる概念を表す際には「入会地」や「共有地」を表す。特定の所有者をもたず、あるコミュニティによって管理・運営・利用される土地で、たとえば昔話で、おじいさんが芝刈りに行く山や、おばあさんが洗濯に行く川などは「コモンズ」だったはずだ。あるコミュニティやネットワークによって所有され利活用される財の管理手法は、何も山や川といった物理的な場所とは限らない。特にインターネット以降の世界では、オープンに財を共有する考え方が広まっている。法学者の待鳥聡史と政治学者の宇野重規の編著『社会のなかのコモンズ：公共性を超えて』(白水社) は、そんな「コモンズ」という概念が、いまの社会に向けてもちうる可能性を描いている。宇野は「コモンズ概念は使えるかー起源から現代的用法」という論考で、こう書いている。

「コモンズ概念の持つ魅力は、国家による中央管理か、さもなければ私的所有権への分割かという二者択一を超えて、資源の共同管理の新たなる可能性を示している点にある。そこで一つのポイントになるのが、国家と個人の間にあって、資源を適切に管理するためのコミュニティの存在である。キーワードとなるのは、『相互性』、『ソーシャル・キャピタル』、『信頼』、『互酬性』、そしてそれを支える『フォーマル・インフォーマルな制度』である」

国家による一元管理か、市場任せかという二元論を超えたところで第3の道を模索する行政の行く末を考える上でも、コモンズはたしかに有用なヒントを授けてくれるように見える。宇野は同書で、現代におけるコモンズ論の重要な論者として3人を取り上げ、21世紀の「コモンズ」の可能性の射程を明かす。

ローレンス・レッシグ｜憲法 / サイバー法学

「彼によれば、コモンズとは、『関連コミュニティ内部の人が誰でも、誰の許可を得なくても権利を持つリソース』である。(中略) レッシグが何より強調するのは、知識のコモンズ、イノベーションのコモンズである。彼の見るところ、土地、車、コンピュータといったものが競合リソースであるとすれば、アイディア、音楽、表現といったものは非競合リソースである。(中略) すべてをオープンにするべきではないが、非競合的なリソースについてはオープンにした上で、コミュニティの規範によってコントロールすることが有益である」

ネグリとハート｜政治哲学

「ネグリとハートによれば、資本主義も社会主義も『コモン』の領域を排除してきたのであり、私的所有と国有化の中間の領域に着目する『コモン』の戦略こそ、伝統的な資本主義と社会主義、私的所有と国有化の二分法を乗り越える可能性を持っている。『コモンウェルス』、すなわち『コモン』なネットワークという基盤こそが、現代の急進的左派にとっての希望であると説く彼らの議論は、現代コモンズの射程の広さをよく示している」

ジェレミー・リフキン｜限界費用ゼロ社会

「リフキンが強調するのが、協働型のコモンズである。(中略) 資本主義が私的利益の追求に基づき、とくに物質的利益を原動力としているのに対し、新たな協働型のコモンズは、他者と結びついてシェアしたいという深い欲求を原動力としている。このようなコモンズにおいて奨励されるのは、オープンソースのイノベーションや透明性、コミュニティの追求であるとリフキンはいう」

References
『社会のなかのコモンズー公共性を超えて』待鳥聡史、宇野重規 編著
https://www.hakusuisha.co.jp/book/b383224.html

のは、まさにそういうものになっていくはずなんです。市民の生活のなかで何が起きていて何が課題になっているのか、そのインサイトを取り出していくことが重要な仕事になっていきます。先ほどイタリアの災害支援の話のなかで、行政府の方が、行政の仕事は「被災者や支援に入る方の声を聞き、調整をする」ことだと言っていたのを紹介しましたが、まさにそれこそが行政府、公務員の仕事になっていくんだと思います。

——できますかね。

公務員のなかには「自分たちの仕事は事務処理」と割り切って、それで生きていこうと決めちゃっている人たちもいるかと思いますので、事務処理を合理化しようと言い出すと歓迎されないこともあるかと思いますが、これは民間企業でも同じですよね。とはいえバックヤードの合理化をやらないと、本来やるべき仕事に誰も従事できないという悪循環になってしまいますので、企業も行政府も早々にそこには着手すべきなんです。ただ、そうやってこれまでのスタッフを新しい仕事に振り替えていくためには、相当の時間もかかりますし、それなりのトレーニングや再教育が必要となります。そうしたトレーニングに、きちんと時間も人も割けるのかはとても重要なことです。年齢にかかわらず、そうやって学び続けられる環境があるのは大事なことです。

——そうでないとこれまた、ただの自己責任論になってしまいそうです。

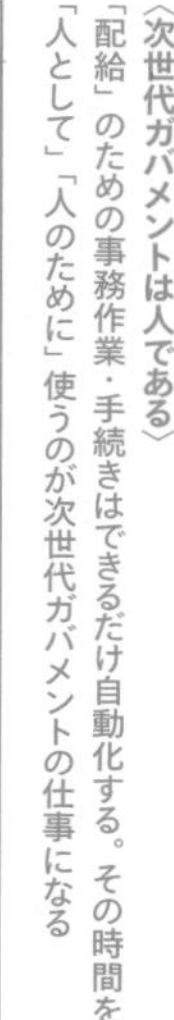

〈次世代ガバメントは人である〉
「配給」のための事務作業・手続きはできるだけ自動化する。その時間を「人として」「人のために」使うのが次世代ガバメントの仕事になる

自己責任論とリバタリアニズム

そうなんです。ここで序盤にお話しした「インクルージョン」の話に戻ってくるんです。今後の行政府のあり方を考える上で、これは大前提となる考え方です。誰も排除されず、あらゆる人が自分の生きたいような生き方を選択できるような社会をつくっていくことが、ここではとても大事なのです。というのも最初に言った通り、これまでの世界の行政システムは、たくさんの人を排除した上で成り立っていたものにすぎませんから。「未来においては、そういうのはやめようぜ」というのが少なくとも国連の枠組みのなかにおいては世界的な合意事項になってるわけです。「自己責任論」は、いわゆる「小さい政府」が言われ出した頃からもち出されてきた考え方ですから、すでに二〇世紀末の古い考えとみなしていいかと思います。自己責任論の牙城であったアメリカにおいてですら、若い世代の間ではこうした考えは急速に廃れつつあると言われています。

——アメリカではいま社会主義が空前のブームと言われていますね。

それもそうですし、自己責任論の極致のようにも考えられている「リバタリアン」も、よく見ていくとシンプルな「自己責任論」を奉じているわけではないとされています。社会人類学者の渡辺靖さんが著した『リバタリアニズム』（中公新書）という本のなかで、現代のリバタリアンに共通する特徴がこんなふうに挙げられています。「自己所有権が重視されている」。「暴力を抑止する存在として政府の役割を一定程度認める」。「中央政府よりも市民に近い地方政府を、そして政府よりも市場の調整メカニズムを信頼する」。「かといって資本主義の現状を全面肯定しているわけでも、過去に黄金時代が存在したと考えているわけでも、ましてや市場そのものを万能と見なしているわけでもない」。「最も暴力性が低いのは、共同体のなかで培われてきた暗黙知や自生的秩序（ルールとロールとツール）を尊重することである」。「強制によらない、自発的な協力や取引に基づく社会」。「それこそが自己と他者の自由や幸福が不可分に結びついたユートピアを可能にすると考える」。といった感じです。

——面白いですね。ここでずっと語られてきた「新しい行政府のあり方」に深く通底しているような感じがするのが不思議ですね。

そうなんです。おそらく、特にアメリカの若いリバタリアンは、デジタルネイティブに近い世代でもありますので、デジタルテクノロジーのいいところと悪いところを同時に見て取っているようで、そうした認識を通じてなのか、社会ガバナンスのあり方についても非常に中道的というか、大きい政府にも小さい政府にも与しないという慎重な立場なんですね。かつ、暗黙知や自生的秩序を尊重し自発的な協力や取引を重視するといったあたりは、まさにそうしたものを促しファシリテートしていく存在として行政府を機能させようというアイデアと親和性が高いように思います。

——地方行政府により信頼を寄せる、というのもなるほどという感じがします。

アメリカでは特に、州政府や市政府が時に連邦政府と真っ向から対立するようなこともありますから、より身近で共感できる対象としてあるのかもしれませんね。前述したダグラス・ラシュコフに以前インタビューした際に、インターネットのガバナンスについて「国家も民間企業も信頼できないとなったら、信頼すべき第三項として、どんな主体がありうるか」と聞いたことがあるんですが、そのとき彼が真っ先に答えたのが「ローカルガバメント」でした。ここにいたるまで、実は、中央政府と地方行政府とをほとんど区別せずに語ってきたのですが、おそらく全体の構造でいうと、中央政府は地方行政のためのプラットフォームをつくっていくことになり、一方で地方行政府は市民により近いところでラストワンマイルのサービスを生み出すプラットフォームになっていくのかと思います。市民に近いところで課題解決に取り組む地方行政府の役割が、これまでの「中央政府の出店」という立場から劇的に変わっていかなくてはいけないという趣旨から、ここでは地方行政府をテーマにした話をたくさんしたかと思います。

——そうですね。

行政府が、今後、ただの「配給」のための組織から脱却し、人びとのライフイベントに寄り添うかたちでより柔軟なサービスを提供していこうとするなら、地方行政府が個々の地域の個性において、それぞれユニークな活動を展開し、それが前景化していく必要があります。もちろん外交や安全保障といった分野で国家の役割は大きく残っていくとは思いますが、市民生活のあらゆる細目が国家主導ですべて決定され実行されるという時代は、本当に終わっていくんだと思います。Ⓝ

Column 32

ガバナンスイノベーションのための道具
困ったときの30のツール

イノベーションが生命線とされるビジネスの世界では、それを促進し、ドライブさせるためのさまざまな思考ツールが開発されているが、公共セクターにおいても、同様のツールの導入が進みはじめてもいる。英国のイノベーションラボ「NESTA」は「ソーシャルイノベーションのトリガー＆サポートのための実践ツール」をまとめた「DIY：Development Impact & You」というレポートを公表している。アイデア出しから、リサーチ、プランニングまで、仕事の局面に応じたツールはこんなにある。

先を見る
- 自分のアイデアを実現するために先を見通したい｜Innovation Flowchart
- プロジェクトで何を達成したいか（アウトカム）を定義したい｜Evidence Planning

企画の立案
- 自分に何ができるのか見極めて、より明確な企画を立てたい｜SWOT Analysis
- 現状の企画をさらに大きく展開するために明確な企画を立てたい｜Business Model Canvas
- 同じビジョンをもったパートナーと協働するための企画を立てたい｜Building Partnerships Map
- これまでの成果をもとに、さらに磨きのかかった企画を立てたい｜Learning Loop

プライオリティ
- 実際の体験を通して、プロジェクトのプライオリティを見極めたい｜Experience Tour
- 本当に重大な問題にだけフォーカスして、プライオリティを見極めたい｜Problem Definition
- 複雑な課題の原因をつきとめて、プライオリティを見極めたい｜Causes Diagram
- ゴールと道筋を明確化して、プライオリティを見極めたい｜Theory of Change

外からインプットを得る
- 日々の生活の観察と学習を通じて、インプットを得たい｜People Shadowing
- 対話を通して人びとの考えていることを、インプットとして得たい｜Interview Guide
- 人びとのモチベーションがどこにあるのか、インプットを得たい｜Question Ladder
- 自分たちのプロジェクトが人びとの役に立っているか、インプットを得たい｜Storyworld

仕事の相手を知る
- ステークホルダーの関係性を通して、協働する相手をよりよく知りたい｜People & Connections Map
- プロジェクトのターゲットとなっている人たちをよりよく知りたい｜Target Group
- プロジェクトの対象となっている人たちの特徴を可視化したい｜Personas
- 自分たちが提供しているものがどれだけ新しいものかを知りたい｜Promises & Potential Map

新しいアイデアを生む
- 当事者とともに新しいアイデアを生み出したい｜Creative Workshop
- まったく違う角度から新しいアイデアを生み出したい｜Fast Idea Generator
- チーム内での建設的な議論を通して新しいアイデアを生み出したい｜Thinking Hats
- 共通の価値観をベースにした新しいアイデアを生み出したい｜Value Mapping

検証と改善
- プロジェクトのどこが最も効果があるのかを検証し、改善したい｜Improvement Triggers
- フェーズごとに有用なフィードバックを得ることで、検証・改善を行いたい｜Prototype Testing Plan
- ステークホルダーの目を通して、検証・改善を行いたい｜Experience Map
- オペレーションやリソースの配置に関して、検証・改善を行いたい｜Blueprint

持続と実装
- 対象者とより関係を深めることでプロジェクトを実装、持続させたい｜Marketing Mix
- 予算や期限内にきちんと収まるかたちで、プロジェクトを実行、持続させたい｜Critical Tasks List
- プロジェクトをローンチし、持続的に成長させたい｜Business Plan
- プロジェクトをよりスケールすることのできる可能性を探りたい｜Scaling Plan

References

"Development Impact & You" NESTA
https://diytoolkit.org/media/DIY-Toolkit-Full-Download-A4-Size.pdf

未来のガバナンスへの対話

人間中心・プラットフォーム・ライフイベント・ミッション・個人界と集合界

INTERVIEW BY KEI WAKABAYASHI

未来のガバナンスへの対話① 人間中心

起業家精神をもった「賢い行政府」のアクティビズム

クリスチャン・ベイソン デンマークデザインセンターCEO

——デジタルテクノロジーが社会のあらゆる領域に浸透し、社会システムそのもののアップデートを余儀なくされているなか、一番困難に直面することになるのは民間企業よりもむしろ行政府ではないのかという気がしています。

おっしゃる通りです。デジタルサービスは、いま行政府や国家というものに対して強烈な圧力をかけていますが、それが都市や社会構造をどのように変えつつあるかをよく見極めた上で、行政府がいかに適切にそれらをガバナンスするかは、いま世界中で重大な議論となっています。わたしはこれまで、民間で一〇年、国の機関で八年、そして、その中間に位置する「デンマークデザインセンター」で四年間働いてきましたが、未来においてよりよい社会をつくり出していくためには、行政府と民間企業と市民社会とが、より高度なやり方で協働する必要があると考えています。かつてはプライベートセクターがお金を稼いで、それを行政府が税金として集めて分配するという考え方でした。それはそれであまりにも現実を単純化した物の見方ですが、いずれにせよそうした社会像はもはや通用しなくなっています。

——通用しませんか。

しませんね。とはいえ、行政府の本来の役割は、いまも昔も変わりません。ビジネスをよりイノベイティブで競争力あるものにすべく環境を整え、同時に、誰もが自分の生き方に即したやり方で生きられるよう柔軟性のある機会と環境をつくるため、市民社会をより活力と多様性に満ちたものにしていくのがその役割です。そうした役割自体は変わりませんが実現の仕方は劇的に変わってきています。

——どう変わってきているのでしょう?

これまで世界のさまざまな行政府をリサーチしてきてわかったのは、魅力的な行政府には共通した特徴があるということです。「オープンでコラボラティブ」「多様な能力や資格をもった人びとが参加している」「社会に対して積極的に働きかけ、市民のインサイトを的確に把握して政治家に働きかけることができる」「長期的な展望をもっている」といった特徴です。こうした特徴をもたない行政府は、もはや二一世紀において十分に社会に貢献することはできません。一九～二〇世紀の行政府の考え方をもって二一世紀の世界を渡っていくことはもはやできませんし、それは危険なことでもあります。

──一九～二〇世紀の行政府というものを簡単に説明していただけますか。

一九世紀の行政府の仕様は、基本的に軍隊をモチーフにしてつくられたものです。軍隊の構造は、行政府に限らず民間企業をつくる上でもおおいに参考にされたものですが、いずれもそれは官僚的な組織体となっています。

──ふむ。

官僚制というとそれだけで毛嫌いする人も多いのですが、官僚制度は、多くの面においてよい仕組みであったことを忘れてはいけないと思います。官僚制によって、血縁や地縁に基づく不平等が解消され、原則として民主的かつ公正に人材が登用されるようになり、そのことによって、事実に基づいた、より客観的な判断が期待できるようになりました。組織がヒエラルキー構造をもつことで、ある判断をトレースすることが可能になりましたし、そこにプロとしての職業意識が生まれるようにもなりました。こうしたことをわたしたちは感謝すべきだと思います。官僚制がない場所で暮らすのは、それがある場所で暮らすよりも、はるかに大変なことです。官僚制度をバッシングすることについては注意深くあるべきだと思います。

──気をつけます（笑）。

二〇世紀の官僚制度がもたらした功績は、さまざまな公的サービスを国家全体に行き渡るようスケールさせたことです。それを最大化したのが福祉国家というものですが、そこでは、ヘルスケア、ソーシャルサービス、教育、インフラ整備などが大規模なスケールで実現され、しかも官僚制度のおかげで非常に効率的に実行されたのです。

──その一方でトップダウンによる工業化・産業化は、公害などさまざまなダウンサイドを生むことにもなりました。

その通りです。そうした反省を受けるかたちで、二〇世紀後半になると今度は、民間や市場の知恵をより多く取り入れることで、よりよいサービスの提供に向けて公正でフェアな競争を生み出すことができると考えられるようになりました。そのことで市民の選択も広がり、社会はより豊かになると考えられたのです。

――大きい政府から小さい政府へ、という流れですね。

はい。ところが、官僚主導の「大きい政府」も、市場主導の「小さい政府」も、現在のわたしたちの社会に十分に寄与しうるものではなくなってしまいました。

――何が起きたのでしょう。

世界はグローバル化し、動的かつ複雑なものになり、その結果、非常に不安定なものになっていきました。こうした世界にあって行政府やガバナンスの考え方も次のレベルへと発展しなくてはならなくなっています。これは何もわたしだけが言っていることではなくて、多くの学者がここ一五～二〇年ほど指摘してきたことです。行政府は再発明されなくてはならないのです。

――新しいかたちとは、どんなものになるのでしょう。

これからの行政府は、よりネットワーク化されたものにならなくてはなりません。そして市民のニーズに対してはるかにリスポンシブでなくてはなりません。また、効率や競争力を重視するのではなく、実際の効果、つまり公共サービスを通じて何がもたらされ、市民ひとりひとりの人生や社会がどう変わったのかを指標としてサービスが評価されなくてはなりません。簡単に言ってしまえば、行政府は「共感」を軸として機能しなくてはならないということだろうと思います。

――欧米でよく言われる「人間中心」っていうことですか。

「人間中心」というのは、発想の起点を人に置くということを意味しています。これまでの行政府や企業はイデオロギーやテクノロジーを起点に社会を変えようとしてきました。今後は、人を社会的、経済的、文化的な存在として包括的に理解し、人が生きている状況や環境の複雑さにきちんと向き合い、そこに働きかけなくてはなりません。簡単に言うと人の立場に立って物事を考えるということです。「共感」というのはそういう意味です。そうすることで個々人に見合ったサービスを設計することができるようになります。

――はい。

そして、その点においてデザインが重要な役割を果たすことができるのです。デザインは、人間の環境・状況というものを包括的に理解しようとする行為ですから。こうしたアプローチは、どんどん多様化が進む状況にあってはとても重要なものです。高齢化、多民族化が進行していくなかで、新しい価値観、新しい生き方、新しい働き方、新しい家族のあり方を行政サービスは包摂し支援しなくてはなりませんから、社会を一面的に捉えるような従来のやり方では不十分なのです。

――これまで官僚や公務員というと、無表情に機械的な作業に従事するというイメージでしたが、そうではなくなるわけですね。

そうした機械的な仕事の多くはテクノロジーの力を借りて自動化されていかなくてはならないと思います。機械的な仕事にリソースを取られていては行政府が本来果たさなくてはならない仕事ができなくなってしまうという危機感こそが、世界各国に行政のデジタルトランスフォーメーションを急がせている理由でもあるのです。

——これからの行政府の仕事はますます増えるように思いますし、個々の案件はより個別性が高くなり、よりデリケートな対応が求められることになりそうです。

おっしゃる通り、行政府の仕事はエンドレスです。ただでさえ行政府は、放っておくと際限なく大きくなってしまうという問題があります。行政府は毎年予算を二%ずつ削らなくてはならないという法律がデンマークにはあるのですが、それは行政府が肥大化するのを防ぐためです。あらゆる省庁は予算を切り詰めるよう厳しく財務省の指示を受けますし、税金の高いデンマークのような国では、市民からの行政府への要求も当然高くなります。

——財源が増えないなかニーズは多様化し仕事は増える一方。どう対処するのでしょう。

行政府に必要なのはネットワークとして機能することだと思います。別の言い方をするならば、プラットフォームとして機能することです。これまでの行政府は、あらゆる行政サービスを自分たちで計画し、自分たちで実行してきました。しかし、それではきめの細かいサービスは提供できませんし、予算がいくらあっても足りません。プラットフォームとして機能するというのは、社会のなかにあるリソースをアクティベートして公共サービスを執り行うということです。

——どういうことでしょう。

こんな例があります。高齢者のデジタルリテラシーを向上させるプログラムを数年前にコペンハーゲンで実施しました。これまでの行政府の考え方ですと、「行政主催の講座を公民館で開催しよう」となるのですが、このプログラムでは貧しい地域で育った若者たちに、地域の老人たちにデジタルのスキルを教えさせることを実施しました。このプログラムを通して、若者たち自身のデジタルリテラシーも向上しましたし、人に教えることで自分自身に対する自信や誇りを育むこともできました。と同時に、老人たちと地域コミュニティとのつながりをもたらし、地域の安全性も高まったのです。

——うまいアイデアですね。

これは非常にうまくいったプログラムでした。このプログラムのキモは、行政府自身が自前のリソースで教育を行うのではなく、若者たちを公共サービスに参加させることでコストをかけずにプログラムを実行し、そのなかでコミュニティの結束を高め、ソーシャルデベロップメントにも寄与したという点です。こうした考え方が、これからのスマートガバメントにおいては重要になってきます。市民や企業をアクティベートし、エンゲージさせ、そしてエンパワーするのです。

——ビジネスをエンパワーするためには、行政府はどのような仕事をしていくことになるのでしょう。

デンマークは、この数十年で造船産業を失いました。世界で五本の指に入る造船産業をもっていましたが、この産業は一〇年後には完全に消滅することになります。

——ええっ。どうするんですか？

行政府がやったことは、造船のためにつくられていたインフラとスキルワーカーを、すべて再生エネルギー関連産業へとシフトさせることでした。より具体的に言いますと、風力発電の風車の製造に関わる新しいビジネスエコシステムのなかに造船産業の人員や工場を完全に移植したのです。それが功を奏し、失業率はまったく上がりませんでした。行政府が出資者を集め、労働組合と共同で働き手の再教育を行い、かなりの労力をかけてその移行を実施しました。プロアクティブで起業家精神をもったスマートガバメントが踏み込んだことによってこうした移行が実現したという事実は、忘れられがちですが重要なことです。このような行政府のアクティビズムがいまことさら重要なのは、それをしないことによって保護主義を掲げたトランプ型のポピュリズムが横行することになるからです。

——デンマークでもそうですか？

ここ一〇〜一五年くらいで右派の台頭は顕著になっています。それを支えている感情のひとつは「反移民」ですが、その背後には、かつての古き良き社会や価値観に対する執着があるように思います。そうした執着は変化を恐れる気持ちによってより強まります。人はどうしたって変化を恐れるものです。そのスケープゴートとして移民が標的にされてしまうのですが、深層にあるのは急速に変わっていく社会に対する不安です。社会不安を増大させることなく新しい時代への移行を安全に舵取りすることも、いま行政府に求められる重要な役割です。

——コペンハーゲンを訪れた際に、コペンハーゲン市が脱自動車を謳い、街を「自転車都市」へと劇的に変貌させようとしているのを感銘をもって見たのですが、同行していた日本の大企業のお偉方が「自動車産業に依存している日本ではありえないことだ」と憤慨しておられて、案内してくださった地元のデザイン会社の若手と口論になるという非常に興味深い一幕がありました（笑）。ベイソンさんでしたら、どうお答えになっていたでしょう？

興味深い議論です。議論の分かれ目は、「リニア思考」をするのか、「ゼロサム思考」をするのかにあるのかもしれません。

——と言いますと？

STUVA
¥61,200

自転車がクルマに取って代わると考えるのか、自転車によって新しい経済が生まれると考えるかの違いです。自転車を中心とした都市に移行することで街路は新しく生まれ変わりますし、クルマが通らなくなることで新しいタイプのお店や体験が生み出されるようになります。新しい価値をもたらすサービスやレストランや公共空間などがつくられていくなかで、自動車メーカーは自身をモビリティ企業と再定義することでそこに新たに参入することが可能になります。自動車産業がなくなっては困るから現状維持をすべきだという考えは短期的なものの見方のように思えます。

——ですよね。

とはいえ、新しい社会に向けた移行をどう実施するか、そのプロセスをどう制御するかはとても難しい課題です。自動車メーカーをモビリティプロバイダーに変えるというのは言うほど簡単なことではありません。とりわけエンジンを生産している日本やドイツのような国では、クルマ産業が全面的に電気自動車へとシフトした瞬間、莫大な雇用を失うことになります。しかしながら電気自動車への移行は着々と進んでいますので、黙って指をくわえて何もしないでいるわけにもいきません。これまでの働き手を新しいビジネスモデルに基づいた新しいサービスのなかにいかに適応させていくかがそこでは重要な問題になります。すべての働き手が新たなスキルを身につけられるよう再訓練し、新しい産業のなかに入っていくのをいかに支援するかは、各企業だけでなく行政府にとっても重要な課題です。

——そうした課題に取り組むためには、経済全体をどういう方向へとリードしていくのかという国の明確なビジョンと、強力なリーダーシップが必要になりますね。

デンマークは二〇三〇年には化石燃料を一切禁止するといった明確な政策を打ち出し、そのビジョンに基づいて次の社会をつくり出していく事業に積極的に投資しています。行政府が行う投資はその国のビジネスに対して大きな影響力を与えます。加えてエネルギーや人口増加といったグローバルな課題に国として取り組まなくてはならないなか、企業も公共的な課題に対して傍観者ではいられないという状況もありますから、行政とビジネスはよりコラボラティブに歩みを進めていかなくてはなりません。

——世界的な社会課題とビジネスの利益とが相反しないような調整が必要だということですね。

「SDGs」というのは、そういう意味では世界中の国が目指さなくてはならないゴールとなっているわけですが、ビジネスサイドは、それをビジネスに対する足枷だと思ってしまいがちなところがあります。

——日本では特にそういう傾向が強いようにも感じます。

ところが実際のところ「SDGs」は大きなビジネスチャンスを提供してくれてもいるわけです。公共セクターもソーシャルセクターも、

SDGsに適ったビジネスを積極的にサポートする意思が明確にあるわけですから、そこにビジネス上の可能性を見出すことは理に適っています。デンマークは医療や再生エネルギー分野の企業が強いので、そこに大きなチャンスがあると見ています。もっとも、新しい産業にはより洗練された新しいビジネスモデルが必要となりますので、そっちに行けばすぐさま安定的に収益が上がるというわけではありません。新しいビジネスモデルの開発も含めて産業全体を新しくつくっていかなくてはなりませんので、さまざまな回り道も必要にはなってきますが、そうしたビジネス開発の部分においてもデザインは重要な役割を担うことができると考えています。

──二〇世紀の「公共」は、すべて行政府が行っていましたが、これからの時代、「公共財」というものは民間企業、市民、行政府の真ん中に置かれ、みんなでそれを開発し、みんなでそれを維持していくものになっていくように思えます。

それはいいものの見方だと思います。どのセクターも果たすべき役割があります。これまでのやり方だと、「それは行政の仕事。高い税金も払ってるしプロの官僚組織もあるんだから、行政でやれ」となってしまいがちですが、そうしたやり方ではもはや持続性のある耐性の高い社会はつくれません。行政府への過度な依存はそれ自体がリスクです。必要なのは、おっしゃる通り「シェアドパブリック」という考え方なのだろうと思います。

──そうしたなかで、企業というものも、単に「利益を生み出す装置である」というものではない、新しい定義が必要になってくるように思います。

いま世界を見回してみますと、最も成功している企業は必ずしも株式会社ではなく、財団によって運営されるものだったりします。デンマークでもLegoがそうですし、Arlaという乳製品メーカーは酪農家のコーポラティブによって運営されています。シェアホルダーがいるアングロサクソン型の企業だけが企業のあり方ではないと知ることはとても重要です。企業が今後「公共の利益」「パブリックバリュー」という観点をさらに導入していくのであれば、経営のあり方もみなで責任を分担し合うようなやり方をもっと前向きに検討してよいのではないかと思います。

──政府が新しい方針やプログラムを展開していくなかで、日本でことさら気になるのは、その長期的なゴールや現状における「プロ／コン」がきちんと説明されないことです。今後のガバメントにとって「PR」というのは改めて重要なものになってくるように思うのですが。

「PR」はとても重要です。政策をめぐる政治家や政党間の暗闘、つまりは政界のゴシップにはみなさん興味をもちますが、それはどちらかというとプロセスの話でコンテンツの話ではありませんよね。行政府の「PR」の仕事は、そのコンテンツをきちんと説明するところにあります。そしてそれをきちんとわかりやすく理をもって説明するためには、伝える相手である市民のことを十分に理解していなくてはなりません。

市民にとって何が重要なのかがわかっていないと意味のあるコミュニケーションはできません。

——おっしゃる通りですね。

市民や地域の要求を政治家がきめ細かく吸い上げて政党の政策に反映するという流れは、二〇世紀のある時期までは機能していたはずなのですが、ここ数十年でそうした政治家が姿を消し、世襲化あるいは職業化した政治家が幅を利かせるようになってしまいました。社会経験のない職業政治家が増えてしまったのです。また、社会が複雑で多様になるにつれ、そこで生まれ育ったからといって自動的に地域の代弁者になれるわけでもなくなっています。ゆえに、そうした政治家たちに人びとの実際の暮らしに関する有用な知識や洞察を授けることが、行政組織にはより強く求められています。

——なるほど。

市民の暮らしのなかで何が起きているのかを、エスノグラフィ、人類学、デザインリサーチやクラウドソーシング、デジタル投票といったやり方を通してきめ細かく把握し、それを政策の立案・決定につなげていかなくてはなりません。しかも、そうした情報は素早く、具体的なものとして提出されなくてはなりません。これは市民生活に関してだけでなく、ビジネスに関しても同様です。行政府も政治家も、ビジネスの現場で起きていることが見えなくなってしまうというのはありがちなことです。「新しいやり方をする」ためには「新しい考え方」をしなくてはなりません。そこでは自分たちの臆測や問題の捉え方を的確に疑うということがとても大事です。それをするためには、まずよりよく人間を理解する必要があります。人間を理解するというのは、ある行動とその背後にある「センスメイキングの仕方」を理解するということです。デザインシンキングが「人間中心」を謳うのは、こうした理由からです。人間に対する理解や洞察を得た上で、政策立案をしビジネスも立ち上げましょうということです。

——「人間中心」という言葉にいつも引っかかるのは、「人間」と言いながら、そこで言われている「人間」が、単なる「消費者」だったり、「労働者」だったり、「市民」だったり、常に一面的な存在に還元されてしまうところです。

それはその通りですね。人間は、一元的に「消費者」であるわけでも、一元的に「労働者」や「市民」であるわけでもなく、そのすべてなわけですよね。仕事をもち、家族をもち、恋人がいて、感情をもち、悩みがあり、人生がある。人がそういう複雑な存在であることを広い視点から見つめ、そのコンテクストを理解することが重要だと考えるのが、「人間中心」というコンセプトのキモだと思います。生活のコンテクスト、行動のコンテクストを理解し、ヒトの理解を広げ、その人生に共感をもって寄り添うということです。

——それならなんとなくわかります。

ところが、包括的に人や社会、あるいは市場を理解し、そこに働きかけようと思ったら、データを集めて計算するだけではまったく不十分なのです。机に座って計算・分析しているだけでは、実行力のある企画はおろか、的確な洞察も生まれません。より複雑化している社会にあってはアクター同士の連関が複雑すぎて、数字による分析や予測が意味をもたなくなってきています。ですから正しい洞察を得るためにも、まずは実際にやってみるしかないのです。複雑なネットワークのなかに何かを投げ込んでみる。そこで起こる動きを細かく検証する。小さなプロトタイプから始めて、素早く学び、スケールさせる。「実装」ではなく「実験」が重要なのです。デンマークデザインセンターに期待されているのはまさにそれで、「とにかくさまざまな実験をすること」がわたしたちのミッションとなっています。

——チームに文化人類学者がいらっしゃるのはそうしたことと関係があるのでしょうか。

なぜ彼らをリクルートしたかというと、彼らは質的なアプローチから世界を理解しようとする人たちだからです。社会学者は定量的な調査をやりますが、文化人類学者は人と行動を共にしながら生活のコンテクストを観察します。彼らのフォーカスは「センスメイキング」にあるのだと思います。

——人が何を当たり前とし、どういうふうに自分の世界を理屈付けているか、ということですね。

そうです。科学的リサーチにおいて注意しなくてはならないのは、やっているうちに次第に市民や消費者を「調査対象」として見るようになってしまうことです。ヒトをモルモットとして扱うようになってしまうのです。人の行動や思考を調査するためのツールや方法論を選択する際には調査する側に謙虚さが必要です。文化人類学はそうした観点から見ても謙虚なツールのように思えます。

——行動経済学は、どうですか？

もちろん気にはしています。この分野が盛り上がっていることについて異論はありませんが、行動経済学の難しさのひとつは、それが非常に演繹的であることだと思っています。心理学理論から演繹された仮説に基づいて実験が行われ、その結果が量的に測定されます。つまり、課題に対する狭い理解から調査が始まりますので、効率のよいソリューションを導き出すには有効ですが、これまでの前提を疑うような新しい問いや洞察が必要なときにはあまり役に立たないのではないかという気がするのです。

——どういうことでしょう。

学校のカフェテリアを向上させたいというお題があり、テーマは健康だったとします。行動経済学は、子どもたちがもっと野菜を食べるように「ナッジ」するというアプローチをとります。サラダのスプーンをパスタを取るためのスプーンより大きくすることで、子どもたちがより健康になると考えるわけです。

——はい。

一方で、よいデザイナーは、そこで「子どもにとって健康とは何か」というより根源的な問いを立て、そこから違ったアイデアを生み出します。子どもたちが自分たちで調理したらどうか。農場をつくったらどうか。健康というものをどう再想像し、子どもたち自身をその探求にどう参加させるのか。二一世紀の教育というコンテクストにおいて食事と健康がどうありうるかをラジカルに問い直したいときには、より広い視点からその問題にアプローチする必要があります。そこではむしろデザイナーや文化人類学者の視点の方が有用なように思います。経験的に言っても、あるプログラムが大きなインパクトをもたらすのは、リサーチを通してそれまで予想していなかったような新しい洞察を得たときなのです。人や社会に関する仮説や臆測が間違っているときにこそ、意味あるアイデアは生まれるのです。

——「サラダのスプーンをでかくしてやれ」という行動経済学に基づいたソリューションは、ややもすると操作的な印象を与えますよね。

行政府や企業のやることがどうしたって操作的になってしまうのは、やむを得ないことだとは思いますが、問題はどうやるかで、やはりそこには敬意と倫理が必要なのだと思います。ドイツ政府と一緒に働いていたとき、彼らは行動経済学者のチームを抱えていたのですが、ドイツのメディアはそのことに強い反発を表明しました。結局、行動経済学者の使い方はよりソフトなアプローチに落ち着いたんですが、さきほどもお話しした通り、こうした方法論の選定には注意が必要です。今後の行政府には、こうしたリテラシーも求められるようになっていくのです。Ⓝ

Christian Bason
クリスチャン・ベイソン

デンマークデザインセンターCEO。一九九八-二〇〇六年までRambøll Managementにてコンサルタント、ビジネスマネージャーを務めたのち、二〇〇七-二〇一四年にデンマーク政府のイノベーションチーム「MindLab」のディレクターを務めた。World Economic Forumの「Global Future on Agile Governance Council」のボードメンバーやEUのパブリックセクターイノベーションの専門家組織の長を務めたほか、デザイン、イノベーションとマネージメント、ガバメントイノベーションの専門家として七冊の著作がある。主著に、"Leading Public Design"（二〇一七）、"Form Fremtiden"（二〇一六）、"Design for Policy"（二〇一四）、"Leading Public Sector Innovation"（二〇一〇）など。

Photograph: Yuri Manabe

未来のガバナンスへの対話② プラットフォーム

デジタル政府の新モデル「インディアスタック」

サンジャイ・アナンダラム　iSPIRTグローバル・アンバサダー

──来るべきデータ社会に向けて行政府を含めた社会のシステム全体をアップデートすべく、世界中でさまざまな取り組みが行われています。そのなかでも、近年とりわけ注目が集まっているのがインドの取り組みです。誰でも利用できる「公共API」を束ねた「インディアスタック」は、そのアーキテクチャのユニークさ、スマートさにおいて特筆すべきものだと思います。まずはその概要を教えてください。

「インディアスタック」は、二〇〇九年にスタートしたインド国民全員にデジタルIDを付与する「Aadhaar」(アーダール)というプロジェクトから派生したもので、さまざまなAPIやモジュールの集合体のことを指します。発展していくなかでスタックには「プレゼンスレス」(本人不在)、「キャッシュレス」、「ペーパーレス」、「コンセント」(合意)の四つのレイヤーがつくられることとなりました。「インディアスタック」をつくりあげているアーキテクチャは、ドローン規制、金融包摂、ヘルスケアといったさまざまな領域で用いられています。わたしが所属する「iSPIRT」は二〇一三年にバンガロールで設立された非営利組織で、ソフトウェアやデジタルプラットフォームを用いて社会のトランスフォーメーションを行うという趣旨に賛同してくれたボランティアで構成されています。「インディアスタック」の多くの構成要素の企画・デザイン、開発、実装はここで行なわれています。現在、総勢一〇〇人以上のボランティアが出入りしており、プロジェクトや取り組みごとに参加メンバーは絶えず変わっています。

──国が公共財としてデジタルプラットフォームを構築するというアイデアは、一体どこから始まったものなのでしょう？

「iSPIRT」が組織された二〇一三年当初から、インド政府はデジタルプラットフォームのガバナンスを他国とは違うやり方で構想していました。中国のモデルは、国家が一元的にそれを管理するモデルです。一方アメリカでは、法と議会の規制のもと民間企業によって運用されます。EUは、GDPRという法律を基盤にした管理・運用を模索しています。インドは、民間セクター公共セクターのどちらに対しても、デジタルプラットフォームを誰でも利用できるものとして国が提供するというモデルを採用しています。エンドユーザーである国民は、ここで提供される公共財を、企業や自治体といったサービス提供者を通じて間接的に利用することとなります。企業はこのプラットフォームを利用して顧客やパートナー企業のために新しいサービスをつくり、自由にイノベートすることができます。言うなればプラットフォームは道路のようなものです。それを提供するのは国ですが、そこを走る「車」は交通法規にしたがっていれば誰もが自由にデザインし走らせることができるのです。そして利用者である国民は、その「車」を使って自分の行きたいところに行くことができるのです。

──そのプラットフォームを提供することのメリットは何でしょう？

最も重要なことは、これが「公共財」としてのプラットフォームであるということです。公共財であるということは、それが国民全員によって所有され、政府を通して誰もが等しく利用できるものであることを意味しています。それは国民全員の要求を満たし、法的な要件を満たしたものであると同時に、データがフリーフローする際のプライバシー、安全性、そして個人の主権を十全に守るものでなくてはなりません。データガバナンスが向上し、漏洩が減っていくことによって、これまでアクセスできなかったり手が届かなかったサービスを、多くの人びとが利用し役立てることができるのです。

──そのプラットフォームは、現在、四つのレイヤーが積み上がっている構造になっています。

わたしたちの考える「デジタルパブリックプラットフォーム」の一番基礎となるのは、国民全員のIDシステム「Aadhaar」です。指紋・虹彩・顔の三つの生体認証によってID番号と個人がひもづけられています。このシステムによって役所に行かずともオンライン上で本人確認ができるため、基礎レイヤーは「プレゼンスレス・レイヤー」（本人不在レイヤー）と呼ばれています。その次に、個人や企業がさまざまな書面をインターネット上でやり取りできるようにする「Digital Locker」（電子保管庫）、「e-KYC」（電子本人確認）、「e-Sign」（電子署名）、「e-Receipt」（電子領収書）などのAPIを束ねたレイヤーがあります。これは「ペーパーレス・レイヤー」と呼ばれています。その上に乗るのが「キャッシュレス・レイヤー」です。ここには、企業や役所間で送金を行うためのAPI「Unified Payment Interface」（統合決済インタフェース）などが含まれます。そして、その上に「コンセント・レイヤー」、つまりデータの共有や利用の承認を行うための種々のAPIなどが束ねられています。現在では、このフレームワークが徴税、ヘルスケア、物流からドローンの管理、旅行といった分野にまで応用されています。

——非常に合理的な仕組みだと思いますが、この全体の設計図はいったいどなたが描いたのでしょう?

実は設計者はいないのです。このアイデアの始まりは、二〇〇九年に国がデジタルID制度「Aadhaar」の採用を決定したことです。国民全員にIDが振られたとすると、次はそのIDを認証したり、保管したりすることのできる仕組みが必要になると気づき、そこで電子的な保管庫や電子的に本人確認を行うことのできる仕組みが開発されました。それが「Digital Locker」であり「e-KYC」となったのです。ひとつの取り組みを実施すると次に必要なものが見えてくるというようなやり方で順々に出来上がっていったものなのです。それが「インディアスタック」というひとつのコンセプトとしてまとまったのは二〇一四〜一五年のことだったと思います。

——アイデアをまとめていくに当たって、ほかの国などを参考にしたりはしたのでしょうか。

インドは世界的に見ても非常にユニークな特性をもった国です。一〇〇万以上の人が使っている言語が一三以上もあるだけでなく、その行動様式も多様です。国民の経済状況をみても、地理的条件においても、あるいはインフラへのアクセスの状況においても、非常に幅広い多様性があります。教育レベルや経済レベルにおいて大きな格差があるのも大きな困難です。そうした多様な条件のなかにいる全国民をどうすればひとつのプラットフォーム、ひとつの経済システムに参加してもらうようにできるのかはとても難しい課題です。一三億もの人口をもつわけですから。インドが新しいモデルを採用せざるを得なかったのは、こうした課題に応えるモデルがほかにはなかったからなのです。現在このインドのモデルに多くの国が注目し始めています。インドが抱える問題は、何もインドの特殊事情というわけではないのです。

——政府が主導するのではなく、政府に近いところにいる「iSPIRT」のような組織がデザイン、開発、実装を担うことのメリットはなんだったのでしょう。

iSPIRTの強みは、素晴らしいキャリアをもったデジタルのエキスパートが非常に高いモチベーションをもって参加していることです。非営利のボランティア組織で政府や規制当局の資金は入っていません。いわゆる「PPP」(パブリック・プライベート・パートナーシップ)の一例だと思いますが、わたしたちのような中立な組織が間に入ることで、さまざまなパートナーシップが円滑になるのです。もちろん、どんな公共財も政府の後押しがなくては実現できません。インド政府は社会変革のためのデジタルプラットフォームづくりを強力に後押ししてくれました。そして、インドはこのシステムが大きな規模で広範囲に使えることを証明しました。わたしたちはiSPIRTの活動を通じて、世界の七〇億の人口のうちの六〇億人の貧しい人たちを助けるソリューションを提供したいと考えています。インドでうまくいく仕組みであればアフリカや南米の貧しい国々でも使えるものとなるかもしれません。わたしたちはインド国内の問題だけにチャレンジしているわけではないのです。

──こうしたシステムを通じてデータの流通性は非常に高まるようにも思いますが、改めてデータの重要性とはどこにあるのでしょう。

国がなんらかの補助金を支給したり、年金、保険金の支払いを行ったり、福祉サービスを提供するためには、必ずアイデンティティに関するデータと受取人が本人であるという証明が必要になります。インドのように巨大な人口を抱え、国土も広く多様性に富んだ国では、それをきちんと行うだけで相当な労力になります。徴税や納税においてもそうです。それ以外にも医療データ、教育に関するデータ、商取引データ、SNS上などにある公開データなど、膨大な量の個人データがあちこちに分散しています。それらのデータを信頼に足るやり方でやり取りできなくては本当の意味でのデータの有用化とは言えません。デジタルパブリックプラットフォームは、それを実現するためのものです。電子IDをもっていれば、そこに参加することができます。そしてそこで公共、民間を問わずさまざまなサービスを受けられるようになるのです。

──安全性や信頼性はどのように担保されるのでしょう。

データ・ガバナンスには三つの領域があると思っています。そしてそれぞれの領域によってガバナンスの原則も異なってきます。

──その三つとは?

個人データ、法人データ、マシンデータの三つです。個人データのガバナンスの原則は、「本人同意」に基づいた利用です。二〇一九年の七月二五日に発表された「Sahamati」は、「アカウントアグリゲーター」の集合体で、それを通じてデータプロバイダーとデータユーザーは本人同意の下、シームレスにデータをやり取りすることが可能になりました。また現在議会では個人情報保護に関する法案も審議されており、遠からず可決される見込みです。この法案はデータプライバシーに関する最高裁の判決に準拠したものとなります。法人間、マシン間のデータについては、まだ明確なポリシーが策定されていない状況ですが、いずれにせよデータの安全性にとって重要なのは、それが法的観点、政策的観点、そしてテクロジカルな観点からきちんと検証されることです。これらも個人データ保護の原則を基盤にして整備されていくかと思います。

——国民ＩＤ制度の「Aadhaar」は、二〇一八年に憲法違反ではないかと最高裁に訴えられました。

二〇一八年九月にインドの最高裁判所が出した判決は、「Aadhaar」は憲法に則ったもので、政府が徴税したり、補助金交付や福祉サービスを行う際に利用するのは問題ないとしました。その一方で、民間企業が個人に対して「Aadhaar」のＩＤ番号の提出を義務化してはいけないというのが判決の基本的な趣旨です。

——データのガバナンスに関しては、データが国境を超えていくと規制が非常に難しいものとなりそうです。

いくつかの国ではデータの管理を行う機関の設置が議論されています。国際的なガバナンスのフレームワークを発展させるためには、いくつかのレイヤーにおいて合意が必要となります。国際的なデータのやり取りについて、法律上、政策上の取り決めがあっても、システムの互換性がないと意味がありません。アーキテクチャ同士がどのように対話しうるのかを考えなくてはなりません。インドに本社を置く会社の顧客データが、たとえば日本にあるサーバーで管理されていたとしたら、どちらの国の法がそのデータに対して適用されるのか、など難しい問題はたくさんあります。

——どのように解決していくのが望ましいのでしょうか。

まさにインディアスタックがそうしたように、できるところから徐々に積み上げていくことが大事なように思います。簡単にできることからやるのです。また、インディアスタックのアーキテクチャが優れているのは、それがモジュラーでフレキシブルでスケーラブルなものだからです。あとからどんどん新しいサービスを載せていったり、データをやり取りしたり、他のシステムと統合したりすることができるのです。考えながらつくり、つくりながら考える。小さいところから始めて、それを成功させる。すると自信をもってより大きな課題に取り組むことができるようになる。そんなふうに進めていくしかないのだろうと思います。Ⓝ

Photograph: Mansi Thapliyal

Sanjay Anandaram
サンジャイ・アナンダラム

iSPIRT グローバル・アンバサダー。八〇年代よりインドにてＩＴビジネスの経験を積んだのちに渡米、シリコンバレーでのちにInfoseek/Disneyに買収されたＶＣ「NETA」を共同創業。その後アーリーステージのインド／アメリカの越境テクノロジースタートアップを支援する「JumpStartUp Venture Fund」の創業パートナーに。インド帰国後は、インド発のアントレプレナー向けオンラインメディア「Venturekatalyst」を立ち上げ、現在はソーシャルトランスフォーメーションを実現するためのデジタル公共財の制作を行うノンプロフィットの支援団体「iSPIRT」のグローバル・アンバサダーを務めるほか、TiE Bangalore, IIMB Innovations, Catalyst for Women Entrepreneursなどの組織で役員や委員などを務める。

未来のガバナンスへの対話③　ライフイベント

キャッシュレス先進国フィンランドのデータ・エコノミクス

ボー・ハラルド　リアルタイム・エコノミー・プログラム、MyData.org 創業メンバー／チェアマン

――フィンランドで銀行の電子化にいち早く取り組み「eバンキングの父」と呼ばれるボーさんは、最近ではデータの「自己主権化」をテーマに「マイデータ」というコンセプトを啓蒙されているほか、「リアルタイムエコノミー」というデータ社会を前提とした新しい経済のあり方も提唱されています。まず最初にお伺いしたいのは、デジタルデータというものがわたしたちの暮らしや社会にどれほどのインパクトを与えるのかということです。

デジタライゼーションとデータ社会の到来は、人類の歴史を根底から変えるものになると思います。ただ、ここでよく考えなくてはならないのは、データがもつふたつの側面です。ひとつは「My Data」、もうひとつは「Big Data」です。このふたつをつなぎ合わせ、さらにそこに必要に応じて人工知能を組み合わせることで、個人と社会、双方にとって有用なソリューションを生み出すことが可能になります。このふたつはデータ社会における車の両輪です。どちらもおろそかにしてはいけないものです。

――データと言うと、多くの人がまず思い浮かべるのはビッグデータのほうかもしれません。

だとすればなおさら、来るべきデータ社会における「マイデータ」の重要性をいかに語るかが大事になってきます。ナラティブが重要なのです。データドリブンなソリューションへの支持を国民や政治家から得るためには、シンプルなストーリーが必要です。わたしが創業に関わった「MyData.org」という組織は「データの自己主権化」を最大のテーマとしていますが、「マイデータ」の重要性を語る際、「ライフイベント」〈人生の出来事〉という言葉からその意義を説くようにしています。

――そもそもボーさんがデータの力を強く意識するようになったのは、どういった経緯からだったのでしょうか。

ことの始まりは七〇年代後半です。フィンランドで初めて電子バンキング〈e-banking〉というものを始めたところからです。わたしはノルデアバンクでこのプロジェクトを担当していたのです。〈e-banking〉によって、銀行窓口やATMに行かずともバンキングができるようになり、最初はとても喜ばれました。ところが、しばらくすると不満が聞こえてくるようになりました。なぜ紙の請求書に書かれている番号をいちいち手で入力しなくてはいけないのかという不満です。そこから電子的に処理された請求書〈e-invoice〉のアイデアが生まれたのです。「送られてきた請求書に対して、たった一文字のコマンドを入力するだけで、支払いを完了することがいずれできるようになる、そうすればもう不満も出ないだろう」というのが〈e-invoice〉の背後にあった考えです。そして〈e-invoice〉を始めたら、次は必然的に電子化された領収書も必要になります。そして〈e-receipt〉が生まれました。

――〈e-invoice〉のプロジェクトを進めたのは、当初はノルデアバンクだけだったのでしょうか。

アイデアを出したのはノルデアバンクでしたが、こうした取り組みはひとつの銀行だけでやっても意味がありません。エコシステムとして機能しなくてはなりませんから、他の銀行はもちろん、〈e-invoice〉のサービスプロバイダーも含めたネットワークを構築しなくてはなりませんでした。いまで言うとペイメントのネットワークを構築するのと同じことですから、オープンなインターフェイスの開発、データのスタンダード化といった作業に大変な労力を要しました。

――なるほど。

もともと重視されていたのはコスト削減による生産性の向上で、それ以外のデータの利用価値は実際に運用するなかで徐々に見出されていきました。請求書や領収書に含まれているデータを見ると、そこにはVAT〈付加価値税〉が記載されています。それが納税に直結したデータであることは言うまでもありませんが、それ以外に、どのような人がどこで何を購入したのかといったことも、そのデータを通じて明らかになるのです。しかもそうしたデータをリアルタイムで捕捉できるようになるとリアルタイムVAT報告といったことも可能になります。もちろん、こうしたデータを通じて企業の業績や個人のプライバシーが明かされるようなことはあってはなりませんが、データによってリアルタイムで経済の動向が明らかになることは非常に革命的です。そこから「リアルタイム・エコノミー・プログラム」というプロジェクトが二〇〇六年にティエトというソフトウェア企業を中心に、アアルト大学、会計業界と公共セクターの協力のもと始まることとなりました。

――〈e-invoice〉には、フィンランド政府はどのタイミングから参加したのでしょう。

フィンランド政府は早いタイミングで電子化によるコスト削減額の試算はしていたのですが、デンマークの政府が二〇〇五～〇六年にかけて思い切って踏み込んだような勇気はもてずにいたようです。デンマーク政府はそのタイミングで、国や地方自治体への請求は電子請求書で提出されなくてはならないということを義務づけました。フィンランド政府は、そのような強制力を発動するのに二の足を踏んでいたのです。

――ボーさんは、デンマークのように政府が強制的に電子化を義務づけることには賛成ですか。

間違いなく賛成です。絶対にやったほうがいいと思います。ただし、その前に政府が最初にやるべきことは、銀行やその他の金融機関に、〈e-banking〉の一環として規格化された安全で安価で簡便な〈e-invoice〉を中小企業に向けて展開させることです。それを経て一定の時間的な猶予を設けた後で、あらゆる請求書・領収書をひとつのフォーマットに統一するということをすべきだと思います。もちろん理由によっては例外を認める必要もあるかとは思いますが。

――冒頭に「ライフイベント」というお話がありましたが、その考え方についてお聞かせください。

一九九九年にはすでにそのコンセプトがありました。当時ノルデアバンクでやろうとしていたのは、銀行のオンラインアカウントにログインすると、そこに個人のライフイベントがずらりと表示され、それに沿ったかたちでさまざまな金融サービスを編成できないかということでした。結婚するとか、子どもが生まれるとか、車を買いたいとか、起業しようと思っているとか、これからの人生で起きるさまざまな出来事をサポートしていくことが未来の銀行のビジネスの根幹になると考えたのです。ところが当時の銀行のなかには、お金にまつわる情報しかなく、みなさんの人生設計をサポートするのに十分なデータがなかったのです。

――どういうことでしょう。

こういうことを考えていたんです。たとえばあなたが新しい仕事を探しているとしますね。そこであなたはまず銀行に、自分が求職するために必要な情報を集めてくることを委任します。そして集めた情報を用いて求職に必要な記入事項を自動的に埋めていきます。いまですと何かをしようと思うたびに、自分の運転免許や医療診断書や前に勤めていた会社の給与証明などあちこちに散らばったデータを集めなくてはなりませんが、それらを銀行が「データサービスプロバイダー」として集め、そのデータをあなた自身で管理できるようにするというアイデアです。二〇一八年に施行されたGDPRという法律は、自分に関わるどういうデータがどこにあるかを知る権利を認め、自分の必要に応じていつでもそれを取り出すことを可能にしました。個人データをめぐる議論は当初はデータの保護、つまりプライバシーをめぐるものが多かったのですが、近年ではデータを自分が必要なときに取り出すことができるようにするための法的なフレームワークをめぐる議論へと移行しています。

――そうした環境が実現するにあたって、課題となるのは何でしょう。

データサービスプロバイダーが、あなたの委任状をもった上であなたのライフイベントに必要なデータを収集しにいくとして、その際にまず重要になるのは、あちこちに散らばったデータストレージにアクセスするためのインターフェイスが標準化されていなくてはならないということです。EUには、銀行口座のAPIをオープン化した「PSD2」という法律がありますが、それに似たやり方での標準化がヘルスケアデータやロジスティックデータについても必要になってきます。こうした標準化の動きは、EUでも始まったばかりですが、これによって技術的に導入しやすく法律にも適ったデータの運用ができるようになるのです。

――そうしたデータは、実際どう人の役に立つのでしょう。

二〇〇六年にフィンランド政府が「リアルタイム・エコノミー・プログラム」を始めた際の最初のモチベーションは、まずはコスト削減でした。デジタルテクノロジーを用いることで経済活動を便利かつ迅速にし、かつ自動化によってコストを下げるということです。データの重要性が見えてくるのは、それがまず成されてからです。経済活動を行う際に必要な書類を埋めるためのデータを個別に集めて記入するのではなく、すでに記入された状態でその書類をやり取りできるようになれば、労力も時間も心理的なコストも下がります。それがデータの有用化の第一のステップです。次いで、どこに存在しているのかわからないけれども、あなたのために有用であろうデータをライフイベントに役立てることが第二のステップ。そして第三のステップとして個人データとビッグデータを組み合わせることによって、より良い選択の可能性を提供できるようになるのです。データの役立ち方というのは、こうした段階があるかと思います。リアルタイム・エコノミーが生産性の向上のためのデータ利用だとするなら、マイデータは個人に利便性をもたらすためのデータ利用だと言うことができるかと思います。

――どこに存在しているかわからないけれども、有用であろうデータとは具体的には何のことですか。

それは、たとえばプラットフォーマーと呼ばれる企業などが取得しているようなデータです。そこには多岐にわたる有用なデータが眠っていますが、それが必ずしも役立つかたちで整理されていないのが実情です。GDPRの重要な意義のひとつは、個人がそれらのデータを自分のために有用化することを個人の権利として認めたことだと思います。

——データの有用性はまだ十分に見出されていないということですか？

現状においては、その通りです。しかしながら、AIの活用が進むことによって、そうしたデータは必ず今後有用化されていくと思います。わたしは二〇一八年にブログに書いたのですが、それは「Four Big Screens」というタイトルで、未来の財務省のオフィスの風景を描いたものです。そこには四つの大きなスクリーンが置かれています。ひとつ目は全国民の収入をリアルタイムで表示するスクリーンです。これは技術的にはすでにフィンランドでは導入されているもので、誰かに給与が支払われると、ほぼリアルタイムで課税システムがそれを検知するというものです。給与と納税が自動化されたシステムで結びついているので、そのモニターを通して日々国内でどれだけの給与が支払われたかをモニタリングすることができるのです。ふたつ目は〈e-invoice〉や〈e-receipt〉のやり取りを集約したもので、何に対してどれだけのお金が支払われたかを表示しています。三つ目は使われていないお金の流れ、つまり、銀行の預金や株式投資などで動いているお金の流れです。そして四つ目は、VAT報告をもとにした企業の収益を映し出しています。

——なるほど。

この四つのスクリーンに映し出された情報を結びつけビッグデータとして利用し、公共財として誰でも見られるようにすることで、ヨーロッパにおよそ二〇〇〇万社あると言われる中小企業（SME）を助けることができるはずです。こうしたビジネスのビッグデータによって、売り上げの予測などビジネスに役立つ知見を中小企業も得ることができるようになるのです。日本でもこうした議論はなされているかもしれませんが、欧州コミッションにこの話をしたところ非常に強い関心をもってもらえました。

——そこで財務省が見ているデータというのは、行政府だけが独占的に見ることができるデータということではなく、公共財として誰もが見られるものになっているということですよね。

そうです。これは財務省だけでなく、あらゆる企業のオフィスの光景でもあり得ます。もっとも、そのデータを取りまとめて一般に向けて公開していく機関がどこであるのが望ましいのかは議論のあるところです。

——個人の給与や企業間の金銭のやり取りをリアルタイムで捕捉することについて、プライバシーの観点から問題になることはないのですか。

フィンランドでは、プライバシーの観点から問題になるという議論は聞いたことがありません。それらはいずれにせよ納税申告のために行政府に開示しなくてはならないデータですから。それを自動化することはむしろ大きなコスト削減になるはずです。企業のデータについていえば個人の収入と同じようなかたちでは公開されてはいませんが、企業の信用情報を探せばそこで収益や経常利益などを見ることができます。もちろんこれはリアルタイムではありませんが、それでもかなり新しい情報を見ることができます。今後、信用査定やリスク評価といった観点から、これらのデータもどんどんリアルタイム化が進むと思います。

——確認なんですが、給与データが公共財になるというのは、つまるところみんなの給与が公開されるということですよね。それって問題ありませんか。

問題あるも何もフィンランドではすでに公開されているんです。

——ええっ!?

スウェーデンも同様です。もちろん現在はまだリアルタイムではありませんが国民全員の前年の収入を見ることができるのです。

——GDPRには抵触しないんでしょうか。

これは一五年ほど前にできた法律によるもので、マイデータの理念にも反していますし、リアルタイム・エコノミーを推進する上でも必ずしも必要とは言えない施策だと思います。ヨーロッパ全体と足並みを揃えていくためにも、いずれ変更が迫られるのではないかと思います。給与データのオープン化は他国が真似する必要はまったくないものだと個人的には思いますよ（笑）。

Bo Harald
ボー・ハラルド

リアルタイム・エコノミー・プログラム、MyData.org 創業メンバー／チェアマン。MyData Global Network のボードメンバー、Real-Time Economy Program の設立者として活動するほか、スタートアップ企業や政府のアドバイザーとしても活躍。一九七〇年代より銀行業界に身を置き、Union Bank of Finland, Merita Bank, Nordea Bank などで働く。Nordea Bank では、バンキングサービスの電子化に尽力し、「e-banking の父」として国内外からの信頼を集める。二〇〇五年に退社して以来、インディペンデント・アドバイザーとして活動。

Photograph: Olga Makina

未来のガバナンスへの対話④　ミッション

データという「公共財」の取り扱い説明書

斉藤賢爾　早稲田大学大学院経営管理研究科教授

——これからのデータの自由な利活用ということについて、どのようにお考えですか。

基本的には賛成です。ただ、わたしが見ている範囲で言いますと、日本の企業が語る「データ活用」は「自社で持っているデータで儲けよう」という発想でしかないように感じられるんです。もちろん企業なので利益を追求する面もあって当然なのですが、データの価値はそれだけではないと思います。現状ではデータを自社の利益のためだけに抱え込んでおこう、という発想が強いように思います。

——斉藤先生は、「シェアリング・イズ・ザ・ニュー・エコノミー」というようなアイデアも提唱されていますね。

情報と短期的な利益とは切り離して考えた方がいいと思うんです。データがすぐさまお金にならなくても、それをもっていることで商流をより正確に分析できれば、まずはビジネスに役立つわけですし、さらに、その結果として新たなサービスやツールをほかの企業や組織に提供することで、さらにまたデータが集まるというモデルなんだと思うんです、本来は。そうでないと「ほかの企業がもっていない情報を自分たちがもっているから、それを使って有利にマーケティングしよう」といった話で終わってしまいます。

――データは一企業や一組織を超えて利用されてこそ意味があるということですね。みんなでデータを寄せ集めて、社会全体の利益のために用いる、と。

そうですね。人間の行動が生み出すデータは非常に有用性が高いんです。たとえばクルマのワイパーの強弱をドライバーが操作しますよね。最近ではセンサーで感知してワイパーの強弱を自動で操作するクルマも増えていますが、自動化されていないワイパーをドライバーが操作した行動データを集めると、それだけである場所における降雨の度合いを人間の感覚と行動をもとに測れるんですね。実際、ある地域のタクシーでそうした実験を行って雨雲のかたちを描き出した事例もあります。行動データは意外とも思える局面で思わぬ利用価値があったりするものなのです。ただ、この例の場合も、自動車メーカーが一社でやってデータを抱え込んでいても意味はありません。データは一種の「公共財」として考えるべきものでもあるかと思います。

――そうやってデータを広範囲に利活用していくことで、社会はどのように変わっていくとお考えですか。データをAIやアルゴリズムが解析してソリューションを生み出していくような社会になると、人間の仕事がなくなるとも言われています。

ふたつの考え方があるのではないかと思っています。ひとつはおっしゃる通り、いまほど働き手が必要なくなるというものです。特に知識労働者は全体的にそうなると思います。

――仕事はなくなりますか。

特に事務処理のようなものについては可能性は高いと思います。ある自治体がRPA（ロボティック・プロセス・オートメーション）の実験をやったんです。市役所の業務を自動化してみるという実験なのですが、どのくらいできたかと言いますと九〇％以上自動化できたというんですね。人間にしかできない仕事だと思っていたものがそうではなかったといったことが、今後どんどん明らかになっていくことが想定されます。弁護士や医師のような専門職にしても同じようなことが起こりうると思うんですが、その一方で面白いことも起きてくると思います。たとえば弁護士なら、弁護士の概念が広がっていくということも同時に起きていくのではないかと思っています。

――どういうことでしょう？

弁護士の仕事の重要な部分として判例を研究するということがあるかと思います。ところがそういった判例のデータベースの解析をある程度AIなりが肩代わりし補助をしてくれるのであれば、極端な話、弁護士の仕事は、六法全書を頭に叩き込んでそれを覚えこんだ者だけが資格を与えられるものではなく、むしろその人が元々もっている調整能力みたいなものにフォーカスが当たるようになるかもしれません。

――つまりそれは、人間がより人間的な作業に時間を割くことができるようになるということだと思うのですが、同時に、高度に専門化された人たちしかアクセスできなかったデータに広範の人がアクセスできるようになることで、そこから分散的に利活用の方法が見出されていくということも考えられそうです。

医療職も法律家と似ているところがあるのではないかと思います。一昨年に大学病院の人間ドックで健康診断を受けたんです。そこで、「当院での受診に二年間のブランクがあるから正確な診断ができない」と言われてしまいました。つまり、医療機関を横断して積み重なった一貫性のある継続的なデータがないために診断の精度が下がってしまうということなんですが、それはまさに診察というものにおいてデータがいかに重要かを物語っています。逆にいえば医療データベースにアクセスすることができて、必要な訓練を受け、AIのアシストがあれば、簡単な計測と診断をより多くの人が行うことが可能になるということでもあると思うんです。

――なるほど。

個人の医療データが家族にちゃんと共有され、医療に関するデータベースへのアクセスが可能になれば、たとえばおじいちゃんが急に倒れたときに、お孫さんがテクノロジーの助けを借りながらその危険度を測ることができるかもしれませんし、なんらかの応急的な処置すらできるようになるかもしれません。

――看護師や医師が慢性的に人手不足だという状況のなかでは、そうしたソリューションは必要なものになってくるかもしれませんね。

そういう意味でもデータを正しく利活用することは重要なんです。また、アレルギーを引き起こす可能性のある食材を当事者がすぐにわかるようにする、といったこともデータの利活用としては重要ですし、すぐにでもやるべきだと思います。お店でスマートフォンをかざしたら、それだけでアレルギー食材が入っているかどうかがわかるというような仕組みです。

――たしかに、すぐにでも実現できそうです。

ただ、データをやり取りすると言っても、法律の条文や判例データはそもそもがパブリックなものですが、医療のデータはプライベートなものですから勝手に誰でも自由にやり取りできてしまっては困ります。そこは本当に注意しないといけません。行政府が率先して、デジタル署名をきちんと使って過去のデータが正しく保存されていることを保証する仕組みをつくっていく必要があると思います。

――弁護士や医師といった専門職のありようが変わるのだとすれば、その一方で企業というものも形が変わるように思うのですが、いかがでしようか。

業務がデータドリブンになっていけばいくほど労働集約的な組織体は必要なくなるでしょうし、オフィスという場所や空間からも自由になりますから、組織はより分散的なものになっていくように思います。また、「誰かが考えた通りに、その人の手足となって動く」ような仕事の多くはデータとコンピューターによる自動化によってかなり置き換えられていくと思います。そうしたなかで企業という組織がなにによって束ねられていくかと言えば、「ミッション」あるいは「なりたい自分になる」といった自己実現の欲求なのではないかと思います。あるミッションを共通の目的として人が関わっていくような場所になるのではないかというイメージをもっています。極論に聞こえるかもしれませんが、企業というものはどんどんNPOのようなものになっていくのではないでしょうか。もちろん、そうした移行はすぐには起きませんが、若い人たちが現状の企業というものに抱いている気分のなかにそうした志向性はすでに見えはじめているようにも思えます。これからの職場でのデータの利活用のしかたは、個々人の「なりたい自分になる」という欲求を、行政府も含めたあらゆる組織がどのようにサポートできるのかという考え方をベースとしたものになっていくのではないでしょうか。

――データのやり取りにおける安全性や信頼性をどうやってつくりだしていくべきか、という点についてお聞かせいただけたらと思います。

データの信頼性については、いくつかのレベルがあります。センサーから生成されたデータの場合であれば、まずその機器が正しく作動しているのかどうかという問題があります。そうした機器の信頼性を保証するための仕組みと言いますか、社会的なインフラがここでは必要になってきます。そうしたなかで現在、センサー自体がデジタル署名の機能をもっていて、そこから出てくるデータにはセンサーの署名がついているといった仕組みが考案されています。さらにそこに、センサー自体の信頼性をセンサーを提供しているプロバイダーが保証するといった仕組みも必要になってくるのではないかと思います。一方で、人によって生み出されたデータというものがあるわけですが、とくに言葉が関与するソーシャルネットワーク上のデータの信頼性や信憑性をどう特定するのかはとても難しい問題です。

――いずれの場合においても、先生のご専門であるブロックチェーンの技術は重要になってきますね。

そうですね。たとえば、あるセンサーがハックされて、誰かがそのセンサーになりすまして偽の情報を流すようなことが起きた場合でも、ハックされる以前に取得されたセンサーデータの信頼性は保証される必要があります。過去にデジタル署名されたデータが利用可能なものとして残るといったことは、ブロックチェーンが本来もっている機能ですから、そうしたところで有用化されていくべきだと思います。デジタル署名されているデータの真正性を過去をさかのぼって担保できることはとても重要です。ここまで見てきたように、データの信頼性が人命に関わる局面も出てくるわけですから、そうした仕組みが技術的にも制度的にも安全で信頼に足るものでなくては困ります。そうでなければ自動化されたシステムに安心して自分の命を預けることはできません。

——データの信頼性をつくっていくためには、いまどのようなイニシアチブが必要だとお考えでしょうか。

行政が率先してデジタル署名をきちんと使って過去のデータが正しく保存されていることを保証し、開示請求があったときに正しく保存されたものがきちんと開示されたことを市民が検証できるような仕組みをつくっていく必要があると思います。データをきちんと残し保存するための透明性の高いガバナンスの枠組みも必要でしょうし、技術以前の問題としてなによりも、データの重要性をみながきちんと意識しなくてはなりません。データ社会と言いながら、役所や政治家が平気でデータを破棄したり改竄するようでは話にもなりません。Ⓝ

Kenji Saito
斉藤賢爾

早稲田大学大学院経営管理研究科教授。「インターネットと社会」の研究者。日立ソフトウェアエンジニアリング（現 日立ソリューションズ）などにエンジニアとして勤めたのち、二〇〇〇年より慶應義塾大学湘南藤沢キャンパス（ＳＦＣ）にてデジタル通貨、Ｐ２Ｐおよびそれらの応用に関する研究に従事。ブロックチェーンや関連技術に関する啓蒙や批評にも努める。一般社団法人ビヨンドブロックチェーン代表理事。著書に、『ブロックチェーンの衝撃』『未来を変える通貨——ビットコイン改革論』『不思議の国のＮＥＯ——未来を変えたお金の話』『２０４９年「お金」消滅——貨幣なき世界の歩き方』など。

Photograph: Yuri Manabe

「データは誰のものか?」デジタルガバナンスの最難問

山本龍彦　慶應義塾大学法科大学院教授

――今後、行政府がデジタル化していこうというなかで、データをめぐるガバナンスはより一層重大な課題となっていくように思います。データの利活用を公共の便益のために最大化していきたい方向性がある一方で、それが極めて高度な監視体制をつくりあげることになりうるという懸念もあります。データプライバシーとデータの自由な利活用がトレードオフになってしまうという矛盾が出てきてしまっています。

私は憲法学者として、プライバシー保護とデータの自由な利活用というふたつの要素をきちんとしたやり方で両立し、バランスを取らなくてはならないということを常に言ってきた立場です。基本的には両者のバランスをどう考慮するのか、その適切なバランスはどこにあるのかを考えていかなくてはならないと思っています。

――データをめぐる議論が時に難しいものになってしまいがちな理由のひとつは、一概に「データ」と言ってもそれが何を指し示しているのかが曖昧なところにあるように思います。

データと言ったときに、そこで語られる内容は実はふたつあります。「これからのAI社会を動かしていくためには、データがもっと必要だ」といったことはよく言われますが、そこで語られる「データ」はAIに学習をさせるためのものですので、個人にひもづいている必要がないデータです。それは「データアセット」と言い換えていいかと思いますが、そうした「アセットとしてのデータの世界」を、わたしは「集合界」と呼んでいます。やや専門的な言い方をしますと「特定個人識別性がない世界」です。そこでは個人を特定できないようにしたデータが、公共の資産・資源として積極的に活用されていくことになります。

――もうひとつはなんでしょうか?

もうひとつは個人を特定することができる「個人情報」の世界です。これをわたしは「個人界」と呼んでいます。データの扱い方を考える上で、まずこのふたつを切り分ける必要があるのではないかと思います。なぜかというと「個人界」と「集合界」とではデータの扱い方の原則が異なるからです。「個人界」においては、個人が自分のデータの使い方を自己決定できるという「本人関与」が原則ですから、本人の意思が最優先されます。「個人起点」の世界です。一方の「集合界」は本人の意思確認がなくてもデータを自由にやり取りすることができる世界ですが、この世界においては、個人を特定できないようにあらゆるデータが「加工＝ロンダリング」され、個人が再識別されないのが原則です。

――先生のおっしゃる「集合界」では、データは具体的にどんなやり方で流通することになるのでしょうか。

日本の例ですが医療情報についてお話ししますと、二〇一八年に「次世代医療基盤法」という法律が制定されました。これは「集合界」における医療データのやり取りを想定したもので、「匿名加工された医療情報」を対象とした法律です。国から認定された匿名加工を行う事業者が病院などから広く患者の医療情報を集め、特定個人識別性を洗い流し、つまり匿名加工＝ロンダリングして、研究機関や製薬会社や行政府、または企業などに提供するという流れになります。

――データを加工する事業者に個人情報が蓄積されていくわけですね。

この法律には重要なポイントがふたつあるかと思います。病院は、これまでの法制度のもとでは、患者のセンシティブな医療情報を本人の同意なく第三者に提供するのが難しい状況でした。ただ、それではデータの自由な利活用が実現しませんから、そのデータを外に出せるようにする必要があります。新しい法律は、そのデータを自由に動かせるようにしたというのがひとつめのポイントです。ふたつめは、データの自由な流通を可能にすると同時にもう一方で、データを集めて匿名加工を行う事業者に非常に厳格なデータの安全管理措置を求めたことです。法律を見てみますと、この事業者は患者本人の同意があっても、匿名加工していない医療情報を第三者に提供することはできないことになっています。この事業者は半ば公的な役割を担っていると言えますので、事業者としての認定にあたっても、複数の主務大臣が個人情報保護委員会との協議を経てから承認を行うなど高いハードルが課されています。データの自由な流通に対する「トラスト＝信頼性」を、こうしたやり方で担保しようとしているのです。ただ、医療情報についてひとつ大きな問題になっているのはゲノムデータの取扱いについてです。ゲノムデータは、それ自体が個人識別性を持っており、匿名化になじみませんから、ゲノムデータの利活用には別の制度が必要になるかもしれません。

――「集合界」と「個人界」とでは、当然データの利活用の方法も変わってくるわけですね。

「集合界」におけるデータは、基本的には匿名のデータですから、個人の利益に還元されることはありません。医療データについて言えば、主に公衆衛生や医学や薬学の発展を通して、社会に利益が還元されることが想定されています。一方、「個人界」では、自分のデータを使って自分自身がより健康になったり、より精密な診察や薬の処方を受けられることを目的として利用されていくことになります。ただ、このふたつは完全に切り離してしまうことはできませんし、「集合界」のデータと「個人界」のデータを結合させていくことで、より高度なサービスを行うことも可能になります。医療データは保険制度に関わるものでもありますので、行政的な観点から見れば完全に切り分けることも難しいでしょう。

――どういうことでしょう。

国民の健康を保つことは社会保障費をむやみに増大させないためにも重要だと考えれば、たとえば行政府が市民の健康状態をモニタリングできることには大きな意義があります。ＳＦ的な発想をすれば、そのデータを使って国民の健康状態をスコアリングし、そのスコアに基づいて保険料を算出するといったことも技術的には可能です。保険料の額をインセンティブとして、できるだけ国民が健康になるように仕向けていくというような仕組みですね。

――社会の福祉のためにみんなで自分のデータを提供する、みたいなイメージでしょうか。

はい。もちろん、それによってみなさんが病気にならずに健康でいられるのは素晴らしいことなのですが、一方で、それをあまりに無邪気に許容してしまうと生活が監視され、行政府なり企業なりが定義する「グッドライフ」に最適化されていってしまうことにもなります。それでも構わないよ、という方もいらっしゃるかもしれませんが、それは「自分の人生は自分でデザインしていく」という「自由」や「個人主権」の考え方と矛盾してしまうことになります。個人の自由を優先するのか、それとも社会全体の利益を優先するのか。難しい問題です。

――そうした問題はデジタルＩＤというものそのものにもありますね。

国民全員に「デジタルＩＤ」を与えるというアイデアについても似たような議論はあります。デジタルＩＤに反対する人は、やはり監視社会を恐れますし、賛成する人は社会全体の利益を語ります。ただ、日本のデジタルＩＤ賛成派のなかには別の観点から支持する見方もあります。国民の識別や管理が個人単位になることで、現状の戸籍制度から解放されるかもしれないという意見です。個人ＩＤになることで戸籍制度とそれが前提としていた家族制度から解放され、個人の移動性がより高度に実現されることになります。

――移動ですか。

通信インフラがあって通信機器をあらゆる個人が手にし、かつデータのポータビリティ（データの可搬性）が認められるようになれば、どこにいても同じように仕事ができますし、自分に必要なサービスをどこにいても享受することが可能になります。「移動の自由」はデータ社会を考える上では重要な論点だと思います。近代以前の世界では人が土地に縛られていたのが、近代社会では「居住、移転の自由」が権利とされるようになりました。日本の憲法でもこうした移動の自由が保障されています（22条1項）。「データ・ポータビリティ」の実現は、人のフィジカルな移動をさらに加速させていく可能性があります。

——そうしたなか、より安全で信頼に足るデータ活用のためには、具体的にどんな制度や仕組みが必要になってくるのでしょう？

個人が特定されないはずの匿名の「集合データ」から個人を割り出していく行為は「識別行為」と言われ、日本の個人情報保護法では禁止されていますが、罰則はそこまで重いものではありません。今後、この「識別行為」を、どう捉えていくのかは大きな課題となります。また「個人界」のデータについては個人が自分に関わるすべてのデータを把握し管理することは難しいですから、ひとつひとつの情報の処理にいちいち同意していくという「自己情報コントロール」とは異なるアプローチが必要になるかと思います。

——どんなアプローチでしょうか。

信頼できる「誰か」に、個人データを管理・運用をしてもらうというのが今後のひとつの潮流になるかと思います。信頼できる機関に自分の情報を託し、その機関とのやりとりを通じて自分のデータの管理・運用のしかたを統制するやり方です。情報の主体と情報の利用者との間に媒介項を置いて、そことの信頼関係を個々人が結ぶという構造です。「情報銀行」と言われているものも、こうした考えに基づいています。

——その「機関」は、よほど信頼に足るものでないと困りますね。

はい。その機関が負う責任は大きなものがありますが、政府からも自立している必要があると思います。情報銀行などの機関が自主的に技術やサービスの向上に取り組み、競い合うことも重要だからです。「企業の利益」と「プライバシー／消費者保護」が矛盾したり対立するものではなく相互に補完し合うものであるということは、今後のデータ経済、データ社会を考える上で重要な論点だと思います。Ⓝ

Photograph: Yuri Manabe

Tatsuhiko Yamamoto
山本龍彦

慶應義塾大学大学院法務研究科（法科大学院）教授。慶應義塾大学グローバルリサーチインスティテュート（KGRI）副所長。総務省「AIネットワーク社会推進会議（AIガバナンス検討会）」構成員、経済産業省・公正取引委員会・総務省「デジタル・プラットフォーマーを巡る取引環境整備に関する検討会」委員、総務省「情報信託機能の認定スキームの在り方に関する検討会」委員を務める。主な著書に、『憲法学のゆくえ』『プライバシーの権利を考える』『おそろしいビッグデータ』『AIと憲法』など。

Photograph: Yuri Manabe

NGGを妄想するためのランダムなアイデアソース85

1. わたしたちの現在地

- 『日本の地方政府:1700自治体の実態と課題』曽我謙悟(中公新書)
- 『縮減社会の合意形成:人口減少時代の空間制御と自治』金井利之・編著(第一法規)
- 『孤立する都市、つながる街』保井美樹・編著(日本経済新聞出版社)
- 『福祉政治史:格差に抗するデモクラシー』田中拓道(勁草書房)
- 『日本社会のしくみ:雇用・教育・福祉の歴史社会学』小熊英二(講談社現代新書)
- 『ふたつの日本:「移民国家」の建前と現実』望月優大(講談社現代新書)
- 『反転する福祉国家:オランダモデルの光と影』水島治郎(岩波現代文庫)
- 『隠された奴隷制』植村邦彦(集英社新書)
- 『未来の地図帳:人口減少日本で各地に起きること』河合雅司(講談社現代新書)
- 『権力と支配』マックス・ウェーバー(濱嶋朗・訳/講談社学術文庫)
- 『議員内閣制:変貌する英国モデル』高安健将(中公新書)
- 『市場と権力:「改革」に憑かれた経済学者の肖像』佐々木実(講談社)
- 『中国化する日本:日中「文明の衝突」一千年史』與那覇潤(文藝春秋)
- 『スラムの惑星:都市貧困のグローバル化』マイク・デイヴィス(酒井隆史・監訳/明石書店)
- 『自由と秩序:競争社会の二つの顔』猪木武徳(中公文庫)
- 『チャヴ:弱者を敵視する社会』オーウェン・ジョーンズ(依田卓巳・訳/海と月社)
- 『不平等社会日本:さよなら総中流』佐藤俊樹(中公新書)
- 『ポピュリズムとは何か:民主主義の敵か、改革の希望か』水島治郎(中公新書)
- 『学校と工場:二十世紀日本の人的資源』猪木武徳(ちくま学芸文庫)
- 『1940年体制:さらば戦時経済』野口悠紀雄(東洋経済新報社)
- 『戸籍と無国籍:「日本人」の輪郭』遠藤正敬(人文書院)
- 『株式会社の終焉』水野和夫(ディスカバー・トゥエンティワン)

2. オルタナティブをさがして

- 『官僚制のユートピア:テクノロジー、構造的愚かさ、リベラリズムの鉄則』デヴィッド・グレーバー(酒井隆史・訳/以文社)
- 『負債論:貨幣と暴力の5000年』デヴィッド・グレーバー(酒井隆史・監訳/以文社)
- 『アナキズム入門』森元斎(ちくま新書)
- 『文化人類学の思考法』松村圭一郎、中川理、石井美保・編(世界思想社)
- 『資本主義と闘った男:宇沢弘文と経済学の世界』佐々木実(講談社)
- 『社会のなかのコモンズ:公共性を超えて』待鳥聡史、宇野重規・編著(白水社)
- 『当事者主権』中西正司・上野千鶴子(岩波新書)
- 『ロスト・モダニティーズ:中国・ベトナム・朝鮮の科挙官僚制と現代世界』アレクサンダー・ウッドサイド(秦玲子、古田元夫・監訳/NTT出版)
- 『公共性の構造転換:市民社会の一カテゴリーについての探究』ユルゲン・ハーバーマス(細谷貞雄、山田正行・訳/未來社)
- 『発展する地域 衰退する地域:地域が自立するための経済学』ジェイン・ジェイコブズ(中村達也・訳/ちくま学芸文庫)
- 『ハイエク主義の「企業の社会的責任」論』楠茂樹(勁草書房)
- 『新訳・フランス革命の省察:「保守主義の父」かく語りき』エドマンド・バーク(佐藤健志・編訳/PHP研究所)
- 『トクヴィル:平等と不平等の理論家』宇野重規(講談社学術文庫)
- 『藩とは何か:「江戸の泰平」はいかに誕生したか』藤田達生(中公新書)
- 『組織の限界』ケネス・J.アロー(村上泰亮・訳/ちくま学芸文庫)
- 『中国思想を考える:未来を開く伝統』金谷浩(中公新書)
- 『社会の新たな哲学:集合体、潜在性、創発』マヌエル・デランダ(篠原雅武・訳/人文書院)
- 『コモンウェルス:〈帝国〉を超える革命論』アントニオ・ネグリ、マイケル・ハート(水嶋一憲・監訳/NHKブックス)
- 『美術・マイノリティ・実践:もうひとつの公共圏を求めて』白川昌生(水声社)
- 『モラル・エコノミー:インセンティブか善き市民か』サミュエル・ボウルズ(植村博恭ほか・訳/NTT出版)

3. さまざまな実践のかたち

- 『ルールメイキング:ナイトタイムエコノミーで実践した社会を変える方法論』齋藤貴弘(学芸出版社)
- 『シビックエコノミー:世界に学ぶ小さな経済のつくり方』00・著(石原薫・訳/フィルムアート社)
- 『世界の空き家対策　公民連携による不動産活用とエリア再生』米山秀隆・編著(学芸出版社)
- 『新装版 サーキュラー・エコノミー:デジタル時代の成長戦略』(ピーター・レイシー&ヤコブ・ルトクヴィスト(日本経済新聞出版社)
- 『エコノミーとエコロジー:広義の経済学への道』玉野井芳郎(みすず書房)
- 『信州はエネルギーシフトする:環境先進国・ドイツをめざす長野県』田中信一郎(築地書館)
- 『シンプルな政府:"規制"をいかにデザインするか』キャス・サンスティーン(田総恵子・訳/NTT出版)
- 『最悪のシナリオ:巨大リスクにどこまで備えるのか』キャス・サンスティーン(田沢恭子・訳/みすず書房)
- 『ポートランド:世界で一番住みたい場所をつくる』山崎満広(学芸出版社)
- 『技術にも自治がある:治水技術の伝統と近代』大熊孝(農文協)
- 『SDGs入門』村上芽・渡辺珠子(日経文庫)
- 『クラウドファンディングストーリーズ』出川光(青幻舎)
- 『子どもたちの階級闘争:ブロークン・ブリテンの無料託児所から』ブレイディみかこ(みすず書房)
- 『〈文化〉を捉え直す:カルチュラル・セキュリティの発想』渡辺靖(岩波新書)
- 『チョンキンマンションのボスは知っている:アングラ経済の人類学』小川さやか(春秋社)
- 『ルポ 雇用なしで生きる:スペイン発「もうひとつの生き方」への挑戦』工藤律子(岩波書店)

3
世界の空き家対策
世界の地方創生
最先端は辺境にあり
ローカルビジネスに挑む先駆者や自治体
ポートランド
Portland
信州はエネルギーシフトする
田中信一郎
新浪剛史氏推薦!
チョンキンマンションのボスは知っている
MAKING
RULE
MAKING
RULE
ルールメイキング
斎藤貴弘
シンプルな政府
Simpler
地方創生大全
東京人「でも」必読!
木下斉
シビックエコノミー
GOOD IMMIGRANT
よい移民
リバタリアニズム
SDGs入門
最重要目標
ブレイディみかこ
子どもたちの階級闘争
グローバル化の中で文化に何が起きているのか?

幸福な監視国家・中国
梶谷懐
高口康太
一体何が起きているか!?
CHINA
アフターデジタル
The Tyranny
おそろしいビッグデータ
Uberland
ウーバーランド
アルゴリズムはいかに働き方を変えているか
アレックス・ローゼンブラット
ドローンの哲学
さよなら、インターネット
これで終わる。
ウーバーの車で発狂した
横田増生氏推薦!
ビットコインはチグリス川を漂う
エストニア政府CIO ターヴィ・コトカ氏 推薦
最先端のオープンガバメントに見る新しい社会像!
4

・『世界の地方創生：辺境のスタートアップたち』松永安光、徳田光弘・編著（学芸出版社）
・『リバタリアニズム：アメリカを揺るがす自由至上主義』渡辺靖（中公新書）
・『よい移民：現代イギリスを生きる21人の物語』ニケシュ・シュクラ編（栢木清吾・訳／創元社）

4. テクノロジーのゆくえ

・『未来型国家エストニアの挑戦：電子政府がひらく世界』ラウル・アリキヴィ、前田陽二（インプレスR&D）
・『幸福な監視国家・中国』梶谷懐・高口康太（NHK出版新書）
・『チャイナ・イノベーション：データを制する者は世界を制する』李智慧（日経BP）
・『ウーバーランド：アルゴリズムはいかに働き方を変えているか』アレックス・ローゼンブラット（飯嶋貴子・訳／青土社）
・『おそろしいビッグデータ：超類型化AI社会のリスク』山本龍彦（朝日新書）
・『暗号通貨 vs. 国家：ビットコインは終わらない』坂井豊貴（SB新書）
・『ビットコインはチグリス川を漂う：マネーテクノロジーの未来史』デイヴィッド・バーチ（松本裕・訳／みすず書房）
・『アフターデジタル：オフラインのない時代に生き残る』藤井保文・尾原和啓（日経BP）
・『さよなら、インターネット：GDPRはネットとデータをどう変えるのか』武邑光裕（ダイヤモンド社）
・『ドローンの哲学：遠隔テクノロジーと〈無人化〉する戦争』グレゴワール・シャマユー（渡名喜庸哲・訳／明石書店）
・『測りすぎ：なぜパフォーマンス評価は失敗するのか？』ジェリー・Z・ミュラー（松本裕・訳／みすず書房）
・『アマゾンの倉庫で絶望し、ウーバーの車で発狂した』ジェームズ・ブラッドワース（濱野大道・訳／光文社）

5. 気になる外国のお話

・『Radical Help：How We Can Remake the Relationships Between Us and Revolutionise the Welfare State』Hilary Cottam（Virago）
・『Recognizing Public Value』Mark H. Moore（Harvard University Press）
・『Public Values and Public Interest：Counterbalancing Economic Individualism』Barry Bozeman（Georgetown University Press）
・『Leading Public Design：Discovering Human-Centred Governance』Christian Bason（Policy Press）
・『Leading Public Sector Innovation：Co-Creating for a Better Society』Christian Bason（Policy Press）
・『Rebooting India：Realizing a billion aspirations』Nandan Nilekani & Viral Shah（Penguin）
・『Imagining India：The Idea of a Renewed Nation』Nandan Nilekani（Penguin）
・『The Aadhaar Effect：Why the world's largest identity project matters』N.S. Ramnath & Charles Assisi（Oxford University Press）
・『Team Human』Douglas Rushkoff（Norton）
・『Bullsh*t Jobs：The Rise of Pointless Work and What We Can Do About It』David Graeber（Penguin）
・『Talking to My Daughter：A Brief History of Capitalism』Yanis Varoufakis（Vintage）
・『Steam Down or How Things Begin』Emma Warren（Rough Trade Books）

編集後記

このムックのアイデアは、二〇一八年末に刊行した『NEXT GENERATION BANK 次世代銀行は世界をこう変える』の制作中からすでにあった。「銀行」のデジタル化というテーマは、考えれば考えるほどに行政府のアップデートとセットになっていて、そう思えば、ほかのあらゆる領域のデジタル化（いわゆるDX）も行政システムと足並みを揃えてトランスフォーメーションしないことには本質的な変革にならないことがよく見えてきた。というわけで「次はガバメントだな」となったわけだが、言い訳に言い訳を重ねながら丸一年制作にかかってしまったのは、一年間ずっと制作作業をしていたからではもちろんない。かくも長きにわたって何をしていたかというと、「考えなきゃ」と焦りながら考えることから逃げていたのだ。

「ガバメント」なんてお題はシロウトが扱うにはどだい重すぎるテーマだ。さりながら、言っておきたいこと、提供しておきたい視点がないわけではなく、じゃあそれをどう構造化すれば、まがりなりにも商品になるのかを考えなくてはならないのだが、それがままならない。難しい。構造化を編集用語に置き換えると「目次をつくる」ということになるが、それがどうもうまくいかない。そもそも構造化が得意なわけでもなく、体系的な知識もないという問題はさておいても、目次づくりがかくも困難だったのは、本誌で語ろうとした「ネットワーク化された行政府」のありようそのものがツリー状の構造をもって一方向に向かって編成される「目次」の構造にそぐわないからではないか、と、ここでは負け惜しみのように言ってみたい。

実際、本誌で語られる内容は、デジタルネットワークさながらの融通無碍さですぐさま散り散りに遠くの話に接続してしまったりするので、上から順繰りに話を語り落としていくことが思うようにできない。というわけで編集者の姑息な閃きは、これらを体系的な構造ではなくランダムな点のネットワークとして提示するというずぼらなアイデアをもって編集方針とすることにしたのだった。かくして内容において構造化を拒否した以上、制作作業もまた構造化も分担もできるはずがなく、とにかく言いたいことを全部吐き出し終わるまで吐き出して、それらをあまり意図をもたせず並べるという非効率なやり方に頼むこととなった。

結果としてみるとこの方針は、分業とプロフェッショナリズムによって支えられた官僚モデルに対するアンチテーゼであったと言えなくもない。行政論や官僚論、公共政策論や政治学、社会学といった数多（あまた）ある関連分野の諸専門家に頼むことなく、シロウトが偉そうに行政府なぞについて語ることが厚顔のそしりを免れないのは承知の上であえて蛮勇をふるってみたのは、分業とプロフェッショナリズムを通じて生み出されるアカデミアのことばとは違った回路から紡がれるものがあってもいいじゃないかとの思いがあってのことだ。

序文で引用したデヴィッド・グレーバーの文章に、イギリス人について言及した気になる箇所がある。「わたしの観察するところ、イギリスの人びとは、じぶんたちが官僚制にとくにむいていないということを大いに誇りに感じている」とグレーバーは言うのだが、かりに官僚制をいま言ったように分業とプロフェッショナリズムをもって特徴づけるなら、イギリスの人たちは逆の傾向をもつということになるのだろうか。

この一〇月にロンドンを訪ねた際に出会ったイギリス人は、言われてみればそうした特徴をもっていたような気がしなくもない。それは「自分が目に届くサイズに事業をキープしておくこと」だったり、手間暇かけた「ハンズオン」なやり口だったりといった特徴で、それをアマチュアリズムと呼ぶのはあながち間違っていないようにも思える。

これからの行政が市民参加を促しながらマルチプレイヤーによって推進されていくものだとするなら、イギリスにはすでにそうした萌芽がかなり育っており、これからますます伸びていくようにも思われたが、そうした転換が行政のプロからアマチュアへの管理権限の委譲を意味するのであれば、それがプロっぽいソリューションにならないのは必然であって、逆に言えば官僚制のプロフェッショナリズムよりもアマチュアリズムのほうを優位に置くイギリスであればこそ、こうしたソリューションが花開きえたのだと見ることもできそうだ。

編集というところに話を戻せば編集者もまた本質的に大いなるシロウトであって、とりわけ雑誌という空間はそのアマチュアリズムを臆面なく発揮できる場所と言える。構造も理論もよくわからんが面白そうな話はとりあえず入れとけ。さすればあとは読者が辻褄を合わせてくれる。このムックがひとりの編集・執筆者によるなかば同人誌のようなシロウト臭いつくりに結果的に落ち着いたのは、語られる内容にふさわしく、本誌をそうしたアマチュアリズムを体現したものにしたかったからなのかもしれない。単著ではなくあくまでもムックとして制作したかったのも同じ理由からだったかといまにして思う。

というのはもちろん後付けの屁理屈だが、ことばにできない違和感を無意識に避けながら根拠なき勘に頼ってよたよたと作業を進めていくと、それなりに辻褄があっているように思えるものが出来上がるのだから不思議なものだ。一時はどうなるかと思ったが無事に終わってよかった。

最後に。ガバメントの仕事に従事する当事者として企画段階から有意義な視点とインサイトを授けてくれた経済産業省の瀧島勇樹さんに篤く御礼を申しあげたい。

若林恵

若林恵｜わかばやし・けい｜黒鳥社コンテンツディレクター。平凡社『月刊太陽』編集部を経て独立。フリーランス編集者として『WIRED』日本版編集部に参画、二〇一二年から一七年まで編集長を務める。二〇一八年に共同創業者として黒鳥社設立。著書に『さよなら未来』（岩波書店）、黒鳥社制作の刊行物として『NEXT GENERATION BANK 次世代銀行は世界をこう変える』（日本経済新聞出版社）がある。音楽とブリトーとルートビアとネットフリックスを愛好。

責任編集------------------若林恵
制作-------------------------黒鳥社
営業・制作進行---------------川村洋介
アートディレクション・デザイン--藤田裕美
写真-------------------------平松市聖
間部百合
Mansi Thapliyal
Olga Makina
イラストレーション------------新地健郎
図案協力---------------------小山田那由他（Concent, Inc.）
DTPオペレーション----------勝矢国弘　中村智子
協力-------------------------瀧島勇樹／俣野敏道／守安あざみ（METI）
増田睦子／栗田祐一（行政情報システム研究所）
矢代真也

NEXT GENERATION GOVERNMENT
次世代ガバメント　小さくて大きい政府のつくり方
〈特装版〉

二〇二一年五月二五日　第一版一刷

編集人　若林恵（黒鳥社）

発行人　土屋繼（黒鳥社）

発行　株式会社黒鳥社
東京都港区虎ノ門三-七-五 虎ノ門ROOTS21ビル一階
ウェブサイト　https://blkswn.tokyo
メール　info@blkswn.tokyo

印刷・製本　株式会社シナノパブリッシングプレス

ISBN978-4-9911260-5-5

Printed in Japan

初出

5頁------「公共」の現在　いま何が問題なのか
・「21世紀の『公共』の設計図」（二〇一九年八月・経済産業省商務情報政策局 総務課・情報プロジェクト室）https://www.meti.go.jp/press/2019/08/20190806002/20190806002.html
154頁------次世代ガバメントへの道
・クリスチャン・ベイソン「次世代ガバメントをデザインする：デンマークデザインセンターCEOとの対話」黒鳥社 note（『行政&情報システム』二〇一九年六月号の取材より）https://note.mu/blkswn_tokyo/n/n43e83e828f1d
・サンジャイ・アナンダラム「データ社会を円滑にするデジタル公共プラットフォームを」（「G20　Japan Digital：Data」特設サイト）https://g20-digital.go.jp/jp/interview/sanjay_anandaram/
・ボー・ハラルド「データはすべての人のライフイベントのために」（「G20　Japan Digital：Data」特設サイト）https://g20-digital.go.jp/jp/interview/bo_harald/
・斉藤賢爾「そのデータに命を預けることができますか？」（「G20　Japan Digital：Data」特設サイト）https://g20-digital.go.jp/jp/interview/kenji_saito/
・山本龍彦「そのデータは個人のもの？集合のもの？」（「G20　Japan Digital：Data」特設サイト）https://g20-digital.go.jp/jp/interview/tatsuhiko_yamamoto/